A Legião Negra

Dados Internacionais de Catalogação na Publicação (CIP)
(Câmara Brasileira do Livro, SP, Brasil)

Faustino, Oswaldo
A Legião Negra : a luta dos afro-brasileiros na Revolução Constitucionalista de 1932 : romance histórico / Oswaldo Faustino. - São Paulo : Selo Negro, 2011.

ISBN 978-85-87478-52-8

1. Afro-brasileiros - Sociedades, etc 2. Brasil - História - Revolução, 1932 3. Revolucionários - Brasil - São Paulo (Estado) 4. São Paulo (Estado) - História I. Título.

11-04845 CDD-869.93081

Índice para catálogo sistemático:
1. Romance histórico : Literatura brasileira 869.93081

OSWALDO FAUSTINO

A Legião Negra

A luta dos afro-brasileiros na
Revolução Constitucionalista de 1932

Romance histórico

A LEGIÃO NEGRA

A luta dos afro-brasileiros na Revolução Constitucionalista de 1932

Editora executiva: **Soraia Bini Cury**
Editora assistente: **Salete Del Guerra**
Projeto gráfico e diagramação: **Pólen Editorial**
Capa: **Marcio Soares**
Imagem da capa: **Soldados das forças constitucionalistas no campo de batalha**
Impressão: **Sumago Gráfica Editorial**

Infelizmente não foi possível descobrir a autoria da imagem de capa. Caso você saiba quem é o autor da foto, pedimos que entre em contato com a Summus Editorial para que o trabalho seja devidamente creditado nas próximas edições.

Selo Negro Edições
Departamento editorial
Rua Itapicuru, 613 – 7º andar
05006-000 – São Paulo – SP
Fone: (11) 3872-3322
Fax : (11) 3872-7476
http://www.selonegro.com.br
e-mail: selonegro@ selonegro.com.br

Atendimento ao consumidor
Summus Editorial
Fone: (11) 3865-9890

Vendas por atacado
Fone: (11) 3873-8638
Fax : (11) 3873-7085
e-mail: vendas@summus.com.br

Impresso no Brasil

DEDICATÓRIA

A Dada e Dito, meus pais, e a meus tios e tias, que sempre me contaram histórias sobre nossa gente, plantando em mim o desejo de transformar essas sementes em literatura;

A Bel, minha irmã, que volta e meia me ajuda a relembrar as histórias contadas;

A Ana, Kênya, Jomo, Monifa, Damiso, Akil e Nassor, minha família, para a qual deixo a única coisa que aprendi e me esforço em fazer bem na vida (além de dançar), que é escrever;

A meus sobrinhos, aos filhos de meus amigos, aos filhos de seus filhos — pois todos são filhos de todos nós —, para que estas histórias não morram jamais.

MINHA GRATIDÃO

Ao ator Milton Gonçalves, cujo sonho cinematográfico semeou e alimentou a criação desta obra;

À professora Regina Helena Moraes, cujo olhar crítico acompanhou, ponto a ponto, a elaboração de crochê literário;

À professora doutora Vera Benedito, transformadora de sonhos em realidade, que nos estimula a desengavetar textos para transformá-los em publicação;

Ao meu grande companheiro, o jornalista Flávio Carrança, com quem comecei a garimpar as pérolas negras que geraram esse romance;

E a todos que, de alguma forma, contribuíram para a elaboração desta obra, em especial ao mestre Nei Lopes, que, no prefácio, nos dá uma aula de literatura sobre a presença negra em obras consagradas e destaca a importância de nosso protagonismo literário, formando uma legião de escritores afro-brasileiros, da qual ele — embora não tenha se incluído na lista — é um dos grandes líderes.

SUMÁRIO

PREFÁCIO

Na literatura brasileira, contam-se nos dedos os romancistas pretos e pardos que se assumiram ou assumem como negros. Da mesma forma, na História do Brasil moderno, são raros os episódios em que se celebra o protagonismo negro. Daí a importância deste *A Legião Negra*, pelas razões que passamos a expor.

Após a Abolição da escravatura, a cidade de São Paulo atraiu grandes contingentes de população negra, vindos do interior da província. Proclamada a República, as oportunidades de trabalho continuaram seduzindo negros não só do próprio estado como de regiões vizinhas, em ondas migratórias contínuas. Por conta disso, em 2000, o censo do IBGE informava, surpreendentemente, a cidade de São Paulo como a concentradora da maior população negra, entre todas as cidades do país, circunstância ressaltada no importante livro *Bexiga, um bairro afro-italiano*, de Márcio Sampaio de Castro, publicado em 2008.

Nesse quadro, os três maiores redutos negros na cidade de São Paulo, desde o nascimento da República, foram os bairros da Barra Funda e do Bexiga, e a localidade conhecida como Baixada do Glicério. Por constituir uma espécie de entroncamento entre as linhas das estradas de ferro Sorocabana e Paulista, no início do século XX a Barra Funda concentrava importante parcela da população negra, em sua maioria deslocada das cidades do interior, em busca de melhores condições de trabalho.

Já o Bexiga, mais tarde destacado como núcleo preferencial dos imigrantes italianos e oficialmente denominado Bela Vista, desde o século XVIII já abrigava redutos de população afrodescendente. E após a Abolição, tendo como principal fator de aglutinação a proximidade das ricas mansões da Avenida Paulista, onde a mão de obra subalterna era indispensável, tornou-se também um dos territórios negros da capital paulista.

Como esses locais, diante da presença de encostas muito escarpadas e de problemas ocasionados por enchentes frequentes, eram de difícil ocupação urbana, a população mais pobre, principalmente no Bexiga, foi-se alojando nos cortiços em que se transformaram as antigas mansões senhoriais.

Lembremos agora que na década de 1920 o escritor Alcântara Machado publicava as coletâneas de contos *Brás, Bexiga e Barra Funda* e *Laranja da China*, lançadas respectivamente em 1927 e 1928. Obras altamente representativas do Modernismo de 1922, elas fornecem importante registro histórico da cidade na segunda década daquele século. Esse registro, além de refletir a integração do imigrante italiano na Pauliceia, principalmente na primeira das obras mencionadas, fornece, por outro lado, um fiel retrato da visão estereotipada e quase sempre negativa que se tinha dos afro-brasileiros naquele contexto.

Isto pode ser constatado nos exemplos seguintes, pinçados entre muitos outros da edição conjunta das duas obras. Vejamos:

> Dá aí duzentão de cachaça! O negro fedido bebeu de um gole só. Começou a cuspir. (Alcântara Machado, 2001, p. 66);

> Rua do Ipiranga. Êta zona perigosa. Platão não tirava os olhos das venezianas. Só mulatas. Êta zona estragada. — Entra, cheiroso! — Sai, fedida! (*ibidem*, p. 93);

> Mas o melhor ainda não tinha sido contado: a negra perdeu a paciência e meteu a mão na cara do gerente. A rapaziada por

> pândega fez uma subscrição e deu uns dois mil e tanto para a negra. E a polícia? Que polícia? Negra decidida está ali. (*Ibidem*, p. 97);
>
> Voltou para a cozinha. — Aurora! Ó Aurora! Pensou: Essa pretinha me deixa louca. — Onde é que você se meteu, Aurora? (*Ibidem*, p. 107).

Mas a negritude da Pauliceia modernista não foi só essa, assim vista por Alcântara Machado e seus pares.

Na capital do importante estado, a dureza da discriminação fez que os afrodescendentes procurassem a afirmação de sua identidade étnica mais por meio da participação política do que por meio de expressões culturais, como no Rio de Janeiro e na Bahia. Cidade onde o racismo antinegro revestiu, até nos primeiros anos da República, o caráter de um verdadeiro *apartheid*, da capital paulista foi que o movimento pela igualdade de direitos expandiu-se para todo o Brasil, principalmente por meio de uma persistente imprensa negra e da Frente Negra Brasileira (FNB).

Criada por dissidentes da FNB, a Legião Negra do Brasil engajou-se na chamada Revolução de 1932 com um corpo misto de voluntários denominado "Batalhão Henrique Dias". Sediada numa chácara na Barra Funda, a Legião foi, assim como inúmeros outros corpos militares de negros existentes no Brasil e nas Américas desde os tempos coloniais, subordinada ao poder de um comandante branco.

Interessante notar que, pelo menos no alentado livro *A revolução de 32*, de Hernâni Donato, publicado em 1982, numa edição copiosamente documentada e ilustrada, não há, salvo engano, nenhum registro dessa participação. Isso, embora haja, na publicação, foto de um grupamento de índios guaranis (p. 123), bem como três seções dedicadas à participação feminina (p. 194-5), nas quais reluzem conhecidos sobrenomes "quatrocentões".

Pois a presente obra — muito provavelmente o primeiro romance de escritor autorreferido como afrodescendente e tematizando episódio histórico ocorrido no século XX, no ambiente do povo negro — vem para desvendar um pedaço dessa odisseia. De modo ficcional, Faustino resgata das brumas do descaso e do esquecimento um episódio exemplar da história do negro em São Paulo e no Brasil.

Saiba-se, finalmente, que, para nós, uma das principais tarefas dos escritores afro-brasileiros comprometidos com suas origens étnicas é, além de fazer boa literatura, tirar da invisibilidade o protagonismo negro na história e na cultura do país. Assim foi que se elevou Zumbi ao panteão dos heróis da pátria; que João Cândido foi desestigmatizado; que mártires do Araguaia, como Osvaldão e Helenira Rezende, começam a ter sua verdadeira face revelada. Para conforto da autoestima de nossa juventude.

É assim, também, que, pela pena delicada mas firme do romancista Oswaldo Faustino (nascido 20 anos depois da Legião, mas crescido sob o impacto dessa fabulosa saga), o "negro fedido", o "mulato sem-vergonha", as "negras de confete na carapinha" da ficção modernista, todos vão se reconstruindo em sua real dimensão humana, com estatura e dignidade.

Com este *A Legião Negra*, a já alentada obra de Faustino, escritor, jornalista, autor de livros infantis e ator, ganha também nova dimensão. A mesma de Carolina, Conceição Evaristo, Dalcydio Jurandir, Cuti, Joel Rufino, Julio Romão, Muniz Sodré, Oswaldo de Camargo, Raymundo Souza Dantas... E de toda uma legião de grandes escritores e escritoras menosprezados, silenciados ou tornados invisíveis.

Nei Lopes

INTRODUÇÃO

A história por trás da história

"Alô, Erê, é Milton!...". Nem precisava se identificar. Com aquela voz grave de barítono e o eterno bom-humor, mesmo quando me liga para protestar contra algum desmando político ou da mídia, só podia ser meu amigo, o ator Milton Gonçalves.

Ele sempre faz questão de me chamar de "erê", assim, enfatiza o que ele chama de meu "jeito moleque", diante da minha imagem de "senhor idoso". Tive a felicidade de receber muitos telefonemas que começaram com esta saudação. Mas houve um muito especial, sem o qual não existiria este livro:

— Preciso de um favor seu. Estou com uma ideia para um filme, que quero dirigir, e preciso que você realize uma pesquisa, aí em São Paulo. É sobre a Legião Negra. Vai ser um filme, ao estilo de *Glory*, sabe? Até hoje, o Brasil nunca teve um filme que falasse sobre a importante participação do negro na Revolução de 32.

Ligo para meu amigo, o jornalista Flávio Carrança, que tem muito material sobre a revolução paulista, e ele diz que leu alguma coisa em *Marco zero*, de Oswald de Andrade. Ele também se lembra de uma referência a ela num conto publicado no livro *Tudo por São Paulo*, de Horácio de Andrade. Saímos para pesquisar juntos.

Falamos com filhos e sobrinhos de alguns combatentes. Lembramos, então, do jornalista e historiador Noedi Monteiro, de Piracicaba, que estava escrevendo um livro sobre o negro nas Forças Armadas e poderia saber algo a respeito. Entro em contato com ele, que, graças a Deus, apresenta-me um personagem emblemático dessa revolução: a Maria Soldado.

Posteriormente, Flávio e eu descobrimos que havia um espaço dedicado a ela, no Museu do Soldado Constitucionalista, sob o Obelisco, no Parque do Ibirapuera. Lá, porém, nos informaram que os objetos, que estavam nesse espaço, foram transferidos para um colégio da Zona Oeste da capital.

Na biblioteca da Faculdade de Filosofia, Letras e Ciências Humanas, da Universidade de São Paulo (USP), e no Centro Cultural São Paulo, encontramos dois trabalhos publicados: o maior deles foi o artigo "Os Pérolas Negras: a participação do negro paulista na Revolução Constitucionalista de 1932", do doutor Petrônio José Domingues; e um capítulo de *1932: imagens construindo a História*, do pesquisador e fotógrafo Jeziel de Paula.

No Museu Afro-Brasil, muito depois dessa pesquisa, encontramos fotos e algum material a respeito. Anos após, saiu uma publicação em quadrinhos, do cartunista Maurício Pestana, sobre a história da Legião Negra, cuja reprodução passou a adornar as paredes daquele museu.

Dados coletados, consultas realizadas, veio a parte mais dramática: Milton queria produzir uma obra de ficção inspirada na Revolução Constitucionalista, com destaque para a Legião Negra. Por isso, não bastava a pesquisa, ele queria um argumento para seu filme.

Flávio Carrança foi fundamental na pesquisa. Mas ficção não é seu forte, e ele não quis arriscar-se na tentativa de produzir o argumento. Por isso, prossegui sozinho rumo à proposta de Milton.

O argumento cresceu, cresceu e virou um romance. Como jornalista, decidi usar o rádio — principal veículo de comunicação do início do século XX — e referências a jornais da época para contextualizar o momento político, em que a história se desenrola. Assim, mostraria como a mídia veiculou notícias sobre os batalhões revolucionários negros paulistas de 1932 e influenciou sua formação, elevando os ânimos da "sociedade bandeirante", questionada pelo doutor Petrônio Domingues. Muitos dos textos jornalísticos que aqui se encontram são transcrições *ipsis litteris* das que foram incluídas no artigo desse fundamental historiador pernambucano.

Mas é importante lembrar que esta é uma obra de ficção. Tião, Miro, Bento, Luvercy, Orlando, Madalena, Dona Berenice, Neo e seu pai general, John e muitos outros são personagens gestados pela minha imaginação. Alguns deles foram inspirados em personagens reais ou criados a partir da necessidade de contar um fato ou descrever uma situação ou alguma circunstância. Outros, ainda, surgiram de uma "releitura" de personagens não reais mencionados pelos autores lidos. Dessa forma eles ganham nova vida, uma nova identidade.

Estes, porém, interagem com o doutor Joaquim Guaraná Santana, com o professor Vicente Ferreira, com o tenente Raul Joviano do Amaral e com a própria Maria Soldado, personagens reais, em situações imaginárias, algumas vezes, até alicerçadas em fatos realmente ocorridos. Outras, não. Por exemplo, Maria Soldado teria trabalhado para os Mendonça Penteado, segundo depoimento de um membro dessa família. Apesar de ambas serem reais, a "minha Maria" e sua patroa são descritas de maneira fantasiosa, apenas, visando uma reflexão comportamental.

Trata-se de uma obra escrita pensando, em especial, na juventude. Pode ser muita pretensão, mas desejo que os jovens a saboreiem, como algo que tem que ver profundamente com suas próprias vidas. Que se imaginem crianças, sentadas em roda junto ao avô, num fim de tarde, ouvindo, com prazer e muita fantasia, "causos" sobre um dos maiores conflitos armados já ocorridos em solo brasileiro. E, fascinados com tudo isso, indaguem de olhos arregalados e com os corações e mentes abertos: "E aí, vovô? O que aconteceu? Conta mais!"

Assim, quando seus antepassados já não puderem contar essas histórias, que eles tomem para si a missão de ir em busca de mais informações. Reconstruam fatos e os contem para outros, que repassarão para outros, não deixando jamais morrer a história do nosso povo, mesmo acrescentando um ponto a cada vez que contem esse conto.

Desejo que este livro seja considerado uma simples homenagem aos nossos valorosos combatentes da Legião Negra, nossas "Pérolas Negras". A Legião foi criada para integrar o Exército Constitucionalista por dissidentes da Frente Negra Brasileira. Por isso, conto também um pouco da história dessa que foi uma das mais importantes entidades do movimento negro brasileiro, até meados do século XX.

Para tanto, entre as obras pesquisadas estão: *...E disse o velho militante José Correia Leite*, do escritor e poeta Cuti (Luiz Silva); *Frente Negra Brasileira — Depoimentos*, de Márcio Barbosa; e também o artigo "O 'messias' negro? Arlindo Veiga dos Santos (1902-1978): 'Viva a nova monarquia brasileira; Viva Dom Pedro III!'", do doutor Petrônio Domingues.

Enfim, eis esta pequena obra, juntando letrinhas, sinais gráficos e algumas ideias, para ajudar a sua imaginação a voar no tempo e no espaço.

Oswaldo Faustino

1

Lembranças, relembranças, revivências

A tirada pela mão da babá, a bola rola sem muita força. O garotinho, porém, tão alegre e agitado, naquela manhã ensolarada, brincando na praça, não consegue apanhá-la. A bola colorida passa quicando, raspa suas mãozinhas inseguras e segue o caminho calçado de pedregulhos entre os canteiros floridos.

O leve tranco na bengala é o suficiente para despertar o velho Tião, que ressona, como toda manhã, sentado ali naquele mesmo banco.

Ao olhar arregalado de um homem arrancado, repentinamente, do mundo dos sonhos, somam-se o eterno palito de fósforo no canto da boca torcida e o fio de baba preso a sua rala e branca barba, repleta de falhas. Um conjunto de detalhes que, para o menininho que veio correndo atrás do brinquedo, se faz apavorante.

Cara de choro de criança, constrangimento de velho. Poucos segundos, que tornam aquele momento uma infindável cena de horror. O esforço do ancião em abrir seu sorriso desdentado, para abrandar aquele drama, serve, apenas, para piorar a situação.

A babá corre em socorro de seu protegido e pede desculpas ao idoso pela bola que bateu na bengala e por tê-lo despertado de seu cochilo. Mas Tião nem a ouve, envolvido que está no esforço para secar a baba da barba e retirar da cabeça o gasto chapéu de feltro marrom, costume antigo diante de uma dama. Uma jovem e bela dama negra, vestida de uniforme branco, que sorri, pega o pupilo pela mão, apanha o brinquedo e se afasta.

Ele olha admirado para aquela moça magra, com um par de tranças longas e traços delicados, cujo olhar preocupado lhe trouxe de volta lembranças distantes, muito distantes.

Sua mente viaja ao passado e a mão direita toca o jornal, que repousa no banco a seu lado. Os dedos trêmulos de um homem que já completou 100 anos passeiam sobre a data, no cabeçalho: 20 de julho de 2012.

O pensamento de Tião já não está mais ali. Encontra-se diante de outra página de jornal, 80 anos antes, em 20 de julho de 1932. O local é o mesmo, ou próximo dali, entre a Barra Funda e os Campos Elíseos, região central de uma cidade de São Paulo muito longe do gigantismo dos dias atuais.

Na primeira página da *Folha da Noite*, afixada na lateral de uma banca de jornal, há a foto de um homem proclamando: *"São Paulo de Borba Gato, São Paulo de Anhangüera... raça bandeirante... essa é a hora de engrossarmos os batalhões revolucionários voluntários"*. O orador enfatiza que a revolução paulista *"vai derrubar, arrasar, o ditador Getulio Vargas e recuperar nossa honra, nossa grandeza e nossa liberdade"*.

Numa coluna, no canto esquerdo da página, outro artigo chama a atenção do jovem Tião: *"A Legião Negra está dando um exemplo comovente ao Estado de São Paulo. Ao primeiro apelo dos seus dirigentes, todos correram para defender a terra bem amada, a terra do trabalho, a terra que não para de abrir os seus braços de concórdia brasileira e universal. A sociedade bandeirante deve guardar eternamente no coração a lembrança da raça negra..."*

Com seus quase 20 anos, o jovem Tião interrompe a leitura, atraído pela imagem de uma bonita babá tão negra quanto o par de tranças que lhe adornam a cabeça e terminam num belo laço de fita branca, unindo as pontas. Ela passa célere, tentando acompanhar a correria de três criancinhas loiras bastante agitadas. Num gesto rápido, ele retira da cabeça o chapéu de feltro marrom, recém-comprado.

Atarantada, a moça berra os nomes de seus três pupilos e algumas palavras em inglês. Teme que desçam sozinhos para a rua calçada com paralelepípedos, em direção aos trilhos do bonde. Lança-lhe apenas um olhar de soslaio e algo que se parece com um sorriso.

O jovem Tião pensa em segui-la, mas já estão na calçada oposta e desaparecem atrás de um bonde camarão[1], que passa sonolento. Olha de um lado e do outro, mas nada da garota, nem das crianças que, certamente, devem ser filhas de algum engenheiro inglês da ferrovia. Em um deles, avista uma dupla de imponentes guardas civis, em seus elegantes uniformes, terno e quepe em azul-marinho.

Uma imponência justificada. Afinal, criada em 1926, nos moldes do policiamento londrino, para auxiliar a Força Pública, mas sem caráter militar, a Guarda Civil reúne a chamada "elite da segurança paulista".

Em sua mente, o jovem Tião viaja até a entrada do Cine--Theatro Santa Helena, na Praça da Sé, em cuja porta está sempre postado um guarda civil, em traje de gala, com espada reluzente e polainas brancas. Ele nunca entrou numa matinê para ver um filme, mas adoraria poder convidar aquela formosura para acompanhá-lo a uma sessão, em seu dia de folga. Depois, poderiam ir a uma casa de chá, na Rua São Bento, ou saborear um sorvete, no Largo do Rosário, ou...

Tião adora sonhar, mas sabe que jamais passarão de sonhos. Além de não ver mais a garota, não tem dinheiro para convidá-la a um passeio. Mesmo que tivesse, não seria bem recebido numa elegante casa de chá, por ser um negro biscateiro. Carrega mercadorias no Largo da Banana e mora num cortiço do Bexiga, onde vive com Rosa e os filhos.

---

1. Bondes elétricos da Light, fechados — os demais tinham as laterais abertas e muitos passageiros viajavam em pé nos estribos. Pintados de vermelho, foram batizados pela população de "camarão". Inspiraram canções como essa caipira, de Cornélio Pires e Mariano da Silva: "*Aqui em São Paulo o que mais me amola/ É esses bonde que nem gaiola/ Cheguei, abrirô uma portinhola/ Levei um tranco e quebrei a viola/ Inda puis dinhêro na caixa da esmola!*"

Então, retoma a leitura do jornal: "*Conversamos com o Dr. Joaquim Guaraná de Sant'Anna, que nos disse o seguinte: 'Os descendentes da raça negra no Brasil aqui estão para tudo o que seja luta e sacrifício. Estamos vivendo a hora mais expressiva da nossa pátria que, com o nosso sangue, a temos redimido de todas as opressões. Somos, neste instante, um dos maiores soldados dessa cruzada. Venceremos!*"

Desde o sábado, 9 de julho, São Paulo está em guerra, uma guerra civil. No rádio, a voz contundente de César Ladeira conclama cada paulista a cerrar fileiras contra a ditadura e declama poemas revolucionários de Guilherme de Almeida e de outros poetas. Estampidos se ouvem na madrugada. Apreensão, fardas e veículos militares são quase tudo o que se vê pelas ruas.

O jornal diz que a Legião Negra já formou três batalhões de infantaria e que outros virão. Espera-se chegar a um efetivo de 3.500 combatentes, para fortalecer ainda mais o "já vitorioso Exército Constitucionalista", como se comentam pelos bares, restaurantes e pontos de bonde e de jardineiras.

Com seu cigarro de palha atrás da orelha, o dono da banca passa o tempo todo arrumando as pilhas de jornais e algumas revistas, enquanto olha com o rabo de olho para Tião que, incomodado, comenta consigo próprio: "Sempre desconfiado esse portuga".

— Tá com medo de ser roubado, seu Quincas?

— Que nada, Tião! Tô aqui a olhar pra ver se tu vais seguir o mesmo caminho de todos os demais homens de cor que param aqui para ler o jornal.

— Que caminho, portuga?

— Ué, não leste que desde quinta-feira, dia 14, já foram criados três batalhões com o nome de Legião Negra de São Paulo?

— Ah! Isso eu li aqui. E daí?

— Daí é que eu fiz uma aposta com o Gino, o italiano da sapataria ali em frente. Ele me paga mil réis por homem de cor que parar aqui, ler essa notícia e sair direto para a Alameda Eduardo Prado.

— É mesmo?

— Pois não é? E eu pago a ele mil réis por aquele que seguir para outro lado. Até agora já embolsei 33 mil réis. Aquele italiano fascista miserável vai à falência.

— Tá louco, seu Quincas? Pode pagar pro italiano, que eu não vou me meter nesse negócio de revolução, não. O senhor sabe que eu sou de paz!

— De paz todos somos, ó pá! Mas não adianta ser valente só nas rodas de tiririca[2], lá no Largo da Banana. São Paulo quer mais. É o que diz o doutor Santana, meu xará. Conheces ele, não? É advogado e o chefe civil da Legião Negra. Um cavalheiro muito importante.

— Eu li o que ele disse aqui nesse jornal...

— Então... Todas as manhãs, ele para aqui para ler as notícias. Enquanto lê, conversamos. Hoje, por exemplo, ele me contou que fundou, lá no Rio de Janeiro, o Partido Radical Nacionalista, para unir todos os homens de cor no Brasil.

— Homens de cor, Seu Quincas? De que cor?

— Ah! De cor preta. Tu sabes do que estou falando, Tião. Como é que ele diz mesmo?... Lembrei: "Para promover a união político-social da raça negra".

— É? Nunca ouvi falar.

— Tá bom. Vai ver que nem ouviste falar, também, na Frente Negra Brasileira?

— Essa já. Até já fui uma vez no baile das Rosas Negras. Não é lá na Liberdade?

— Isso mesmo. Rosas Negras são as mulheres da Frente Negra. Tem cada cachopa negrinha daqui, ó!

— Para com isso, português! Fala assim diante do professor Vicente Ferreira, que eu conheci no salão das Classes Laboriosas. Ou do doutor Valentim, o "delegado geral". Os dois são muito bravos e são da Frente Negra.

— Eram...

— Como assim? Vocês sempre querem saber mais das coisas dos pretos que nós mesmos.

---

2. O jogo da tiririca, quase exclusivamente para homens, era também conhecido como jogo de pernadas, espécie de capoeira paulista. Um entrava na roda e começava a dar rasteira nos demais. Era um teste de habilidade. Em alguns casos, quem caísse era obrigado a pagar tostões para aquele que o derrubou.

— Conheço essa pá toda. Sou branco só por fora. Gosto mesmo é de estar entre vocês. Esses dois, o doutor Joaquim Guaraná Santana e outros foram expulsos porque apoiam a causa constitucionalista.

— Foram mesmo?

— E não é? Por isso fundaram a Legião Negra. Ontem o xará me disse que está furioso. Tu acreditas que a diretoria decidiu que a Frente Negra vai ficar neutra nessa revolução?

— Vai é? Eu também...

— Mas pode não, rapaz. O doutor Santana disse que, na verdade, eles estão é do lado do ditador Getulio. Mas não querem assumir publicamente para não serem chamados de traidores de São Paulo.

Traidores? Tião coça a cabeça, franze a fronte e fica em dúvida sobre o caminho que tomará. Traidor, ele sabe que não é. Jamais será. É homem de honra. Além disso, se entrar para a Legião, terá garantido um soldo e um amparo para a mulher e os meninos. Mas morrer por São Paulo, a troco de quê?

De repente, esses pensamentos são interrompidos pela voz empolgada do português:

— Olha só quem vem ali, naquele Ford Bigode de capotas arriadas?!

— Quem é?

— Não conheces? É o capitão Gastão Goulart, da Força Pública, o comandante militar da Legião Negra.

O conversível para junto à banca, e o homem branco, fardado, que se posta imponente no banco traseiro, faz um sinal sutil de cumprimento ao português, enquanto retorce seus grandes bigodes. O motorista, um soldado negro muito magro, desce, recebe os jornais que Quincas lhe entrega e volta ao carro.

O oficial lança um olhar para Tião, como quem diz: "O que faz aí, em vez de marchar ao lado dos seus?" A reação é instintiva: o negro abaixa os olhos. Fosse branco, teria ficado vermelho, diante do olhar severo que o comandante lhe lançou.

O fordeco conversível segue seu curso. Enquanto observa a fumaça que sai do escapamento, Tião bate os olhos na data de fundação da Legião Negra, 14 de julho, e sente que já está seis dias atrasado.

Ele está a poucos passos da Chácara do Carvalho, no número 69 da Alameda Eduardo Prado, próximo à esquina da Rua Victorino Carmillo. A antiga propriedade da família Prado, do famoso barão do café, transformou-se em quartel general da 2ª Região Militar e, depois, na sede da Legião Negra de São Paulo.

Tião sabe que talvez seja esse seu destino. Se for, o português vai embolsar mais mil réis. "Este é apenas o primeiro passo. Depois, seja tudo o que Deus quiser", pensa, sem saber bem o porquê dessa revolução. Não tem ideia clara do que está acontecendo nessa cidade que já foi tão tranquila.

E ele não é o único. Poucos realmente imaginam os interesses que estão por trás dessa revolta e da exaltação ao espírito bandeirante. Pelo rádio, alguém já falou até na separação de São Paulo do resto da Federação, para pôr um fim no que chamou de: "*uma locomotiva arrastando um monte de pesados vagões vazios e deficitários*".

Nos cortiços, malocas, porões e "cabeças de porco"[3] do Largo dos Piques e do Bexiga, cuja maioria dos habitantes é negra, a preocupação é outra: "Onde vamos morar?" Despejadas, as famílias são empurradas para regiões mais distantes e para o interior do Estado.

O que está acontecendo? São Paulo quer ter uma cara nova e exige um Brasil novo com sua cara.

---

3. Habitações coletivas em péssimo estado de conservação.

2

Pró, contra ou... muito pelo contrário?

Manhã daquele mesmo dia 20 de julho de 1932... Algumas horas antes, num salão de barbeiro da Rua da Glória, no bairro da Liberdade, uma discussão envolve dois profissionais e seus clientes. Gira em torno daquele latifundiário gaúcho baixinho e atarracado, que parece disposto a se tornar o ditador perpétuo do Brasil.

As expressões mais usadas trazem palavras como Constituição, tenentismo, revolução, brava gente bandeirante, oligarquias...

Sentado num sofá, com uma velha revista à mão, o jovem Tião não quer lhes dar atenção. Está ali para cortar os cabelos e fazer a barba. Preocupa-se com a aparência, e o assunto está muito distante de seu interesse e de sua compreensão. Mas como ficar alheio?

Até já lhe explicaram, mas ele não quis entender. Afinal, quase dois anos antes, em outubro de 1930, um monte de gente — artistas, intelectuais, políticos, estudantes e operários — dizia: "Agora, sim, o Brasil vai pra frente". Lembra-se de que um dia viu um jovem acadêmico, na praça em frente à faculdade de Direito, berrando que todos deviam festejar o fim da República Velha.

Deposto o presidente Washington Luís e nomeada uma Junta Pacificadora de militares vindos do movimento tenentista de 1922, exaltaram-se as forças revolucionárias do Partido Liberal, lideradas pelo governador do Rio Grande do Sul, Getulio Dornelles Vargas.

Tião não sabe, mas 1922 foi um ano de grandes mudanças: o centenário da Independência do Brasil foi festejado com manifestos e rebeliões. Além da Revolta dos 18 do Forte de Copacabana, o golpe mais cruel contra o conservadorismo rançoso dos oligarcas político-econômico-culturais foi a Semana de Arte Moderna.

A revista que Tião lê na barbearia tem um artigo sobre os tenentes e fala inclusive da Revolta Paulista de 1924, também chamada de a "Revolução Esquecida". Ele para de ler, lembra que ainda não tinha 12 anos e que havia pensado que morreria em meio às explosões e estampidos, durante aquele que foi "o maior conflito bélico na cidade de São Paulo", como dizia a revista.

E lá estão as fotos dos tenentes Juarez Távora, Miguel Costa, Eduardo Gomes, Índio do Brasil, João Cabanas e Joaquim Távora, que morreu durante o conflito. Uma imagem maior mostra o general reformado Isidoro Dias Lopes, que liderou os paulistas e pôs o presidente de São Paulo, Carlos de Campos[4] para correr, refugiando-se no interior do estado. E Isidoro voltou a pegar em armas nesse ano de 1932.

Em outra página, um artigo relembra a derrota de Nilo Peçanha para Artur Bernardes, nas eleições de 1921 para presidente da República. Aí, Tião lê algo de que nunca ouviu falar: o advogado Nilo Peçanha, um mulato fluminense, foi vice-presidente e assumiu a Presidência do Brasil, de junho de 1909 a novembro de 1910, na vaga de Affonso Penna, que havia morrido. Filho de um padeiro com uma jovem da família Sá Freire, importante na política do norte do Rio de Janeiro, ele nasceu num sítio em Campos dos Goytacazes, ainda nos tempos da escravidão. Seus adversários não se cansavam de zombar de sua origem negra e pobre. Volta e meia, a imprensa publicava charges e anedotas sobre a cor de sua pele e o chamava de "o mestiço do Morro do Coco". O primeiro presidente afro-brasileiro morreu em maio de 1924, menos de três

---

4. O representante do Executivo em São Paulo foi designado "presidente" até a Constituição de 1935, quando seu cargo foi alterado para o de "governador".

meses antes de a revolta paulista se iniciar contra as oligarquias que ele sempre combateu.

Tião sente uma pontinha de revolta. Depois sorri e pensa que ele é "tostão em terra de milhão". Uma terra em que se multiplicam as revoltas, revoluções, rebeliões. Já foram tantas! Ele nem sabe mais qual é qual. Só lembra que, em 1930, pelo rádio, ouviu um locutor exaltar o fato de que estava decretado o fim da "política do café com leite", do revezamento no poder entre paulistas e mineiros, dos políticos corruptos que só queriam espoliar a nação: "É o doutor Getulio trazendo vida nova para todos os destituídos da sorte!"

Sorte ele tem... e muita. Não perde uma rodada de dadinho nem de carteado, no Largo da Banana. Foi lá que conquistou o apelido de Tião Mão Grande. Isso porque tem tanto sorte quanto habilidade. E também é ágil como quê. Ninguém é capaz de derrubá-lo nas rodas de tiririca. Vencedor, ele sempre sai gingando o corpo, altivo, em sua plenitude de homem livre.

Seu olhar e altivez revelam seus pensamentos. Bastou pensar que é um homem livre para ouvir o espanhol, da carvoaria, comentar que não há homens livres no Brasil, por mais que acredite no contrário. Sentado à cadeira do barbeiro, o homem de unhas pretas enrola a língua e, olhando para Tião, parece falar diretamente para ele:

— No pierda su tiempo. Ellos sólo quieren explotar los marginados. No se equivoquen. Ni los liberales ni los republicanos tienen el menor interés en ti. No quieren que sea alguien en la vida.

— Deixa pra lá! — comenta o barbeiro mais velho, um alagoano, que detesta estrangeiros. — Essa espanholada é tudo anarquista, visse? Fogem do país deles e vêm pra cá com essas ideias loucas, infernizar a vida da gente.

E o mais jovem, um mineiro de cabelo frito e engomado, nunca perde a oportunidade de puxar o saco do patrão. E, assim, insiste:

— Isso mesmo, uai. Num tá contente que se mude. Volta pra Espanha procê vê onde vai parar: no *paredón*.

A palavra *paredón* deixa o espanhol tão agitado e o faz metralhar palavras, um longo discurso em sua língua natal, sem se importar se os ouvintes conseguem ou não acompanhar seu raciocínio.

Tião consegue identificar poucas palavras e expressões, como o nome do presidente Vargas, *"confianza ninguna"*, *"suspendió los derechos civiles"*, *"oligarquías regionales"*, *"corrupción"* e a frase final: *"Si hay gobierno, soy contra"*. É muito complicado para a mente de Tião processar tantos pensamentos. Ainda mais em língua estrangeira. Mais tarde, a poucos passos do portão da Chácara do Carvalho, lembra-se dessa discussão.

Junto à cerca e em frente ao portão da chácara, uma multidão de mulheres negras, mulatas, caboclas, brancas e até indígenas se aglomera para ver maridos, filhos, irmãos ou namorados, durante os treinamentos para combater o feroz inimigo, na linha de frente. As fardas e armas exercem forte atração nas crianças, que tentam reconhecer, naqueles militares, pais, tios e irmãos mais velhos.

Na calçada da praça, uma cena chama a atenção de Tião: uma negra idosa, baixinha e bem gorda, discute com um jovem negro alto e esguio:

— Se você não serve para ser soldado, meu filho, não serve para mais nada.

Enlouquecida, arranca a saia e fica só de saiote. Embola a saia e a joga no rosto espantado do rapaz:

— Veste minha saia, seu covarde, e me dá essas calças que eu vou lutar no seu lugar.

Surpreso e assustado, o jovem dá uma gargalhada nervosa. Depois, balança a cabeça e gagueja:

— Tá... tá... tá louca, tia? — E vai deixando a praça, enquanto comenta, bradando: — Essa revolução não é minha, não! É da "brava gente bandeirante".

Mais enlouquecida ainda, a mulher berra para que todos ouçam:

— Brava gente bandeirante é todo o povo paulista! Nós também somos paulistas. É também nossa a bandeira das 13 listras. Você não é paulista, seu inútil?

Agora, já lá na esquina, ele ri irônico e diz:

— Sou não, tiinha! Eu sou é baiano! Estou aqui só pra arranjar algum dinheiro e logo volto pra minha terra. Não vou lutar por ninguém, não, senhora!

Descontente, a velha apanha a saia do chão e, enquanto se veste, sai meneando a cabeça:

— Baiano! Só podia ser. Não é à toa que meu patrão fala tão mal de baiano.

Ela não sabe, mas seu patrão apenas reproduz um velho consenso paulista, dos tempos da escravidão. A maioria dos fazendeiros se negava a comprar escravos oriundos da Bahia, onde se multiplicaram rebeliões e revoltas de escravizados, algumas com propostas radicais e consequências trágicas, como a dos Malês[5]. Desde aqueles tempos, as oligarquias paulistas arrepiam-se da cabeça aos pés quando ouvem a palavra: baiano.

A expressão da velha doméstica é de decepção. Sua fala apenas repetia conceitos ouvidos diariamente, vez por outra, na casa em que trabalhava. Sua atitude revelava um fenômeno muito comum àqueles cujo trabalho árduo é recompensado com afago, tapinha nas costas e a expressão: "É da família".

Família... o velho Tião, em seu banco de praça, entristece ao refletir sobre essa palavra. Os últimos 80 anos trocaram sua família pela solidão. Mas ele espanta esse pensamento e ri, quando imagina a cena de empregados domésticos, como aquela mulher, dando-se conta de que tal "família" jamais se tornou real. Quando descobriram que o ato de repetir os *slogans* da Revolução de 1932 não os tornou "quatrocentões", como se arvoravam de serem os seus patrões.

---

5. Os malês, como eram chamados na Bahia os mais de 1.500 negros islâmicos — em sua grande maioria alforriados, mas tratados como se não fossem livres —, tinham por objetivo a libertação dos escravos, acabar com a imposição do catolicismo, confiscar os bens dos brancos e mulatos e implantar uma república islâmica. A revolta eclodiu em Salvador, entre os dias 25 e 27 de janeiro de 1835. Traídos, os revoltosos foram cercados pelos militares em Água dos Meninos. Nos embates morreram sete soldados e mais de 70 malês. Duzentos foram presos e os líderes condenados à pena de morte. Os demais tiveram, como pena, trabalhos forçados, açoites e degredo para a África.

Mais tarde veio a amnésia histórica. Esses mesmos trabalhadores esqueceram tudo o que vociferaram, naquele momento, contra Getulio. Passaram a acender lamparinas, diante da estatueta do homem baixinho, gordinho, de camisa e bombachas brancas, botas, óculos redondos e lenço vermelho no pescoço. Uma imagem sagrada do amado "pai dos pobres".

3

Família, célula *mater* da sociedade

Tião é um homem simples, do tipo que muita gente despreza, chama de analfabeto, de ignorante. Quem assim afirma, desconhece a sofisticação da simplicidade. E é em sua simplicidade que o velho costuma lembrar o passado e refletir sobre o mundo a sua volta.

Claro. Pensar não é privilégio dos mais ricos, nem dos mais estudados. Ele, por exemplo, só aprendeu a ler e a escrever. É um privilegiado de seu tempo, pois a grande maioria nem isso conseguiu. Ele adora ficar ali, naquele banco de praça, relembrando e refletindo, refletindo e relembrando.

Em suas lembranças mais frequentes, sempre surge o velho porão de um casarão da Rua Major Diogo, no Bexiga, onde foi viver com Rosa, assim que recebeu a notícia de que a namorada estava grávida e havia sido expulsa da casa onde trabalhava como babá. A mãe de Rosa deixou claro que não tinha como cuidar das duas crianças: dela e da que iria nascer. Tião acabara de fazer 15 anos e a namorada estava às vésperas dos 14 anos. Dali por diante, mal terminava a quarentena, lá vinha mais outra gravidez. O casal teve quatro meninos e três meninas, ali naquele cômodo de três metros por três metros e meio.

Não. O porão nunca teve tudo isso de gente amontoada, não. Sempre faltava alguém. Rosa, Deus levou muito cedo, aos 19 anos recém-completados, poucos meses depois de Tião voltar da guerra. Não resistiu ao parto das gêmeas, Dirce e Tereza. Não fosse a mãe dele, Nhá Crisália, nem tinha como criar as crianças. Assim que voltou do enterro, no Cemitério dos Aflitos, ela abandonou o emprego na casa de uma família, da Aclimação, e veio morar com o filho, no porão.

Foi ela quem arranjou para as meninas mamarem, por quase um ano, nos peitos de Bernardete, uma prostituta lá na Rua do Matadouro, de quem Tião, anos depois, tornou-se amante, mas se acabou tísica, no início dos anos 1940.

Os filhos — Tiãozinho, Zé, Marco, Bentinho, Maria das Dores e as gêmeas —, o tempo se encarregou de levar. Das Dores e Bentinho foram ainda anjinhos. O mais velho, Tiãozinho, uma enchente do Córrego do Saracura o arrebatou. Já era homem feito, pai de duas crianças. O corpo deve ter sido arrastado para o Rio Anhangabaú e de lá pro Tietê. Nunca foi encontrado. Naquele ano parecia que São Paulo ia sucumbir ao dilúvio.

Os outros foram, um a um, partindo para as casas de padrinhos ou patrões. Foram botando o pé no mundo, e Tião nunca mais soube de ninguém. "Mas devem estar bem. Notícia ruim, sempre aparece alguma alma boa pra contar", pensa ele, sorrindo.

Foram muitos os porões e casebres, quartinhos e pensões. Mas ele se lembra muito bem daquele, em especial, lá da Rua Major Diogo. Principalmente da janela minúscula que, do lado de fora, ficava pouco mais de um palmo acima do nível da calçada. Por ela aprendeu a conhecer pessoas do joelho para baixo. Pés descalços, chinelos, alpercatas, sapatos bons, jeito de andar.

— Bom-dia, dona Catarina! Como vai, Zelão? Já vai pro botequim, Lilico? Põe chinelo, moleque! Vai pisar num prego e morrer de 'této'!

Quantas vezes não foi quase apanhado por Rosa, olhando pernas de moças, que subiam ou desciam a rua, com as saias rodadas, que deixavam a barriga da perna descoberta. Como eram lindas as batatas das pernas das moças do seu tempo...

E não se esquece do aperto do único cômodo, com uma cama grande, uma velha penteadeira, caixotes, uma cadeira e o lampião.

Lembra-se de Rosa entrando com o balaio de roupa lavada, primeiro lá embaixo, na margem do Saracura[6]. Depois, no tanque que ele construiu no quintal do cortiço, quase do lado do poço.

O poço. Ah, que duro foi cavar aquele poço, com a ajuda de Clemente, Vitorino, Lalau e do italiano Marcelino. Mas eram os pretos, que desciam lá no fundão. O italiano só arrastava as latas de terra até lá fora do cortiço e entregava pros moleques Zoinho e Janjão jogarem no barranco, lá perto do casarão de dona Yayá.

Os olhos marejam em meio às lembranças:

É! Com a água daquele poço, Rosa lavou as roupas de muita gente boa da cidade. Engomava e passava com ferro a carvão, em cima da penteadeira. Ficavam branquinhas que dava gosto de ver. Aí, o Jujuba, negrinho tinhoso, por alguns trocados, levava de carroça lá nas mansões das madames da Paulista e da baixada do Jardim Europa.

As lavadeiras de roupa da Major Diogo foram famosas. Só no quintal do cortiço, em que a família de Tião vivia, tinha umas 15. Como Rosa, quase todas iniciaram suas atividades, ainda meninas, nas margens do Saracura, onde tinha dia em que apareciam mais de 50.

Depois da primeira enxaguada, ensaboavam com sabão de sebo e cinzas, deixavam as roupas de molho em enormes tachos ou quarando nas pedras grandes que tomavam grande parte da margem esquerda do córrego. Aqui, uma fogueira ladeada por duas pedras, sobre a qual botavam os tachos pra ferver. Logo ali, outra. Então, esfregavam, esfregavam e batiam na pedra para tirar a sujeira mais grossa. Aí, se seguiam os infinitos mergulhar na correnteza e esfregar, quantas vezes fossem necessárias, para ficarem bem limpinhas. Depois, era só torcer, torcer bem e jogar a roupa no balaio.

---

6. Córrego, hoje canalizado, que passava na parte baixa do bairro do Bexiga, região central de São Paulo.

Ali ninguém ficava em silêncio. Sempre tinha coisas para se contar, principalmente da vida de quem não estava participando daquele ritual diário. Lavadeira que não queria ver sua vida sendo lavada pela boca das demais não deixava de aparecer. Mesmo doente. E quando alguma não estava disposta a lavar a vida alheia, começava a cantarolar alguma cantiga, que às vezes até era compartilhada pelas demais. Aí a beira do córrego parecia uma festa. "Numa casa de caboclo, um é pouco/ Dois é bom, três é demais..."[7]

Mas não era sempre essa harmonia, não. Volta e meia uma se injuriava com a maledicência da outra. Ninguém levava desaforo para casa. Do bate-boca aos puxões de cabelo, tapas e arranhões era um pulo. Apartadas pelas demais, as lavadeiras ganhavam inimizades para a vida toda. Uma "vida toda" que tinha vida curta. Só mesmo a curiosidade sobre a vida alheia é que sempre fazia as "inimigas" lembrarem de que eram comadres.

— Não diga uma coisa dessa, comadre! Ela fez isso mesmo? Cruz-credo!

— Juro pela luz que me alumia, comadre!

— Mas que desenxabida!

Roupa lavada, torcida, os balaios cheios eram alçados para a cabeça, com a ajuda das mais próximas. Aí começava a procissão de lavadeiras, morro acima, equilibrando os balaios na cabeça, até os cortiços, cujos quintais eram cortados por dezenas de varais. O tanque de Rosa, construído por Tião, foi o primeiro daquele quintal. Por isso ela não desceu mais ao Saracura. Logo, esse tanque já era compartilhado pelas moradoras todas do casarão. Muita lavadeira para um tanque só. Assim como era muita gente para a única privada lá no fundão do quintal, sobre a fossa negra que também foi aberta pelos mesmos moradores.

Fila no tanque, fila na "casinha". Tanques surgiram mais uns quatro ou cinco. Mas privadas, não. Enquanto Tião viveu ali, foi

---

7. "Casa de Caboclo", de Hekel Tavares e Luiz Peixoto, música inspirada numa melodia composta por Chiquinha Gonzaga e lançada, em 1928, na voz do cantor de Gastão Formenti.

uma só. Era duro demais perfurar outra fossa, ainda mais depois de saber que teriam mesmo de mudar-se para outro lugar.

— Virgem Maria! Quantas vezes tive de sair correndo pra cagar no mato! A vida no cortiço não era mole, não. Mas viver na rua também não é vida pra ninguém — comenta consigo mesmo o velho Tião, contemplando sua cidade, naquele 2012, tomada por uma multidão de desabrigados.

As lembranças daquele porão sempre trazem uma boa recordação: o cheiro de comida feita na espiriteira, em fogo de álcool, ou num pequeno fogão a lenha que ele montou no lado de fora, junto à porta do quarto, com tijolos do resto de uma obra na Conselheiro Ramalho.

— Ah, Rosa fazia milagre na panela de ferro, com o pouco que a gente conseguia trazer pra casa.

O que ele mais gostava era a tripa de porco, que ia buscar no Matadouro do Bexiga. Seu Bexiga, neto do fundador do matadouro e dono da primeira pensão do bairro, cobrava bem pouquinho pelas tripas e miúdos. Às vezes, por causa do excesso, as dava de graça.

— A nega lavava bem com vinagre, temperava e fritava. Hum! Ficava daqui, ó! Até os vizinhos desciam pra provar um pouquinho da gororoba dela.

As outras lembranças eram o aperto, a umidade, o bolor... Mas, na memória, viram saudade e até se confundem um pouco com felicidade.

As lágrimas dos olhos inundam seu coração, quando lembra o dia em que chegou a notícia de que o velho português, dono dos casarões, tinha vendido aquilo tudo. Por isso quem vivia nos cortiços teria poucos dias para arrumar outra moradia.

Com muito dinheiro no bolso, o Portuga — nunca soube seu nome — sorria e dizia para quem quisesse ouvir que a cidade estava se modernizando e não tinha mais espaço para eles ali:

— São Paulo é grande. Eles sempre encontram onde levantar seus barracos. Ou que vão pro interior. Tem muita terra pra plantar, ó pá! Essa negrada precisa é deixar de ser mole, indolente, cachaceira.

Palavras que chocavam a piedosa mulher do português. Devota de Nossa Senhora de Fátima, prometeu rezar muitos terços se a santa arranjasse logo moradia para seus antigos inquilinos.

A grandeza e a modernidade de São Paulo têm seus donos, a "brava gente bandeirante" que, certamente, não se parece em nada com Tião nem com os demais despejados dos porões do Bexiga, da Liberdade, do Largo do Piques ou da Barra Funda.

Desde garoto, Tião ouviu falar de um quilombo que existiu no Bexiga, quando as margens do Córrego do Saracura ainda eram cercadas de mata fechada. Ali, em cabanas, viviam escravos fugidos e pretos forros. Isso há muito, muito tempo.

Para o jovem Tião o conceito de quilombo ainda era um pouco confuso. Ele sabia que era um lugar onde viviam negros e que estava relacionado com umas coisas que o incomodavam muito. E pensava:

— Os brancos olham desconfiados para todo preto, nas ruas do centro. A polícia sempre para a gente pra revistar. Mesmo não tendo cometido crime nenhum, a gente pode ser preso.

O jovem não entendia e o velho jamais soube que esse "olhar desconfiado", as abordagens e a eterna suspeição policial se amparavam nos artigos 295 e 296 do Código Penal do Império, de 1830, que estabeleciam os crimes de "vadiagem" e "mendicância". Visavam exatamente ex-escravizados alforriados e, depois, negros nascidos sob a Lei do Ventre Livre, de 1873. Quem não provasse ter um trabalho ou ter como sustentar-se sem precisar pedir esmola ou delinquir, corria o risco de acabar numa cela de prisão.

Anos depois, o Código das Contravenções Penais, de 1941, dedicou a esse assunto os artigos 59 e 60. Surgiram, então, as Delegacias de Vadiagem. O Estado brasileiro considerava mais eficaz punir por mendicância e por ócio aqueles aos quais não garantia emprego nem qualquer maneira de sobreviver. Afinal, já havia gasto seu pacote de incentivos com o estímulo às imigrações europeia e asiática.

Esse fantasma rondou a vida da maioria dos homens negros das cidades até a Constituição de 1988. Não era à toa que as empregadas domésticas tornaram-se o principal arrimo das famílias negras. Ao lado dos pedreiros e seus ajudantes, as domésticas e as lavadeiras de roupas eram as únicas ocupações rentáveis fixas destinadas à população negra urbana "livre".

Sina cruel a das domésticas, incumbidas pelos patrões da propagação para as comunidades do pensamento dominante. O centenário Tião se recorda da altiva Chica, uma vizinha que, há anos, trabalhava para uma família do Jardim América. E ela acreditava ter boa explicação para a repressão policial:

— É por causa do tal quilombo. Você não sabe que ali era terra de preto ladrão, pinguço e assassino? Tudo gente que vivia no batuque, preguiçosa e não respeitava os bens, a vida e a honra dos outros.

Ela jamais duvidou dessa definição:

— O doutor falou. E o doutor é juiz. Sempre diz a verdade, somente a verdade, não é mesmo?

Citando o mesmo juiz, Chica vivia criticando Tião, quando ele levava as crianças para benzer na casa de Siá Cotinha, cujas rezas curavam bucho virado, febrão, olho gordo e tudo quanto é doença. Pior ainda foi quando ela soube que Rosa ia se desenvolver no terreiro de Mãe Inácia de Oxossi, neta de Pai Antonio de Ogun, antigo pai de santo do Bexiga.

Pai Antônio foi famoso. Tião até acha que é para esse preto velho o canto que se ouve ainda hoje em alguns pontos de Umbanda: "O meu Pai Antônio/ O meu Pai Antônio/ É um preto de fama/ O meu Pai Antônio/ O meu Pai Antônio/ Ele vence demanda/ Eu tenho fé/ Na Virgem Maria/ O meu Pai Antônio/ Seja o Nosso Guia".

Ah, como ele gosta de ponto de umbanda. Gosta tanto quanto de samba de umbigada[8], de tambu[9]. Tanto quanto de toada, dos sambas que a rapaziada canta lá embaixo durante os jogos

---

8. Samba de umbigada é uma dança de roda brasileira, que lembra o africano lundu e o português fandango, em que um dançarino (ou dançarina) se aproxima de outra pessoa e a chama para dançar. Frente a frente, ambos (as) gingam de um lado e do outro, giram e batem-se, como se fosse um encontro de barrigas (umbigos), mas na verdade o que batem são os joelhos.

9. Tambor rústico, feito com um tronco oco e couro de boi. O som grave marca o ritmo para o samba rural. Pode denominar também a própria dança.

de futebol no campinho do Cai Cai, nos ensaios do Cordão do Vai-Vai, nas casas das tias quituteiras, junto ao Largo da Banana, e no Grupo Carnavalesco Barra Funda, de seu Dionísio Barbosa. Mas para ele a melhor festa de samba de verdade é na romaria para Pirapora do Bom Jesus.

— Que coisa boa! Um dia eu levo a família toda pra conhecer. Pena que, por enquanto, não dá.

Tião e a família se mudaram de cortiço em cortiço, sem sair daquela região que compreende o Bexiga, a Liberdade e a Baixada do Glicério. Ele precisava ficar perto do centro, onde sempre tinha algum bico pra fazer. Dali até o Largo da Banana era uma boa pernada, que ele tirava de letra.

O que mais o encantava em suas caminhadas pelas ruas do centro de São Paulo era a oportunidade de encontrar velhos amigos e companheiros. E também gente letrada, belas e elegantes negras. Nem parecia que lavavam banheiros e roupas ou cozinhavam para patrões que, nem de longe, imaginavam quanto elas eram imponentes.

Seu ponto predileto era ali ao lado da Igreja da Irmandade de Nossa Senhora do Rosário dos Homens Pretos, no Largo do Paissandu. Depois da missa ou da reza, sempre tinha congada[10], batuque[11], samba de umbigada, moçambique[12] ou até caiapó[13].

---

10. Manifestação cultural e religiosa de influência africana, que se faz em cortejo e canta ora a vida de São Benedito, ora as glórias de Nossa Senhora do Rosário, ou os combates de antigos heróis. Apresenta-se como cortejo, em torno do Rei do Congo.

11. Também conhecido por batucada, o batuque, originalmente, seria uma dança-ritual de fertilidade, trazida ao Brasil por escravos africanos. Em alguns lugares é uma cerimônia religiosa semelhante ao candomblé e outras manifestações afro, também chamadas de macumba.

12. Dança de origem africana, parecida com a congada, em que se tecem versos de louvor a São Benedito. Constitui-se de doze pares de dançarinos, o mestre, o contramestre, o rei, a rainha, o general, o capitão, as damas e o grupo de tocadores.

13. Dança de origem indígena, que canta a história de um curumim assassinado por um bandeirante. Um pajé o ressuscita com baforadas de cachimbo e todos dançam batendo os pés.

Os mais antigos contam que a igreja ficava no Largo do Rosário, lá no alto, depois do Vale do Anhangabaú, região nobre da cidade. Mas o largo foi destruído em 1904, para a construção da Praça Antonio Prado. Estava nascendo o coração econômico de São Paulo. Assim como os cortiços, a igreja dos pretos, construída por escravos e libertos, também tinha de ser removida para a cidade se modernizar.

Só que a Irmandade não dava conta de unir os "irmãos" a não ser em torno da fé e das festas. Por isso, tinha tanta desinteligência entre aqueles que eram igualmente oprimidos. Tião, nas conversas com amigos, garantia que, se dependesse dele, todos os oprimidos seriam unidos e, por isso, mais fortes. E não precisava ser preto, não. Bastava se sentir injustiçado, maltratado, desamparado. Mas, não. Ninguém conseguia que todos se unissem. Ao contrário, era lobo comendo lobo.

4

O que separa vale mais do que o que une?

Um velho, num banco de praça, envolto pela metrópole, revolvendo suas memórias e revivendo uma história tão antiga, que muitos podem até imaginar jamais ter acontecido. Mas aconteceu e recordar é preciso, para que ele tenha a certeza de que ainda está vivo. A cidade, porém, passa por ele, indiferente. Tião reflete:

— As pessoas são assim mesmo. Um não gosta do outro por qualquer motivo. Às vezes, nem depende da vontade de ninguém. Não gosta por ser baiano, por ser gordo, preto, branco, japonês, velho ou jovem demais, por ser de vila diferente. Um odeia o outro só porque torce pra time diferente ou tem outra religião, porque é pobre ou rico, de direita ou de esquerda. Quem agride sempre tem uma justificativa. Assim, pode oprimir e (por que não?) até matar.

Essa é a angústia principal do velho Tião. E ele tem razão. Quem declara guerra convence a si próprio e tenta convencer os demais de que tem todos os motivos para isso. De que não há alternativa. E de que o inimigo é sempre o único culpado.

Mesmo sendo considerado um pensador simplório, Tião entende que essa é a principal característica que difere os homens dos demais animais, que matam apenas para saciar a própria fome ou se defender. Sozinho, pensa:

— Os homens, não. Matam até o próprio irmão, desde Caim e Abel. Ganha é quem vende armas e quer ver nosso fim. Na própria Frente Negra, foi assim.

Frente Negra Brasileira... ele sempre pronuncia esse nome, marcando sílaba por sílaba. Aquele era um grupo muito diferente dos demais formados pelos negros de seu tempo juvenil. A frente era composta por homens que, dificuldades à parte, estudaram, formaram-se, arranjaram empregos que até lhes davam certo *status*. Mas todos sabiam que isso não bastava para conquistar o respeito total da sociedade. Seria preciso mudar o conceito que essa sociedade tinha forjado sobre os negros. Por isso se uniram propondo-se a construir condições para plantar essa mudança.

Foi em 16 de setembro de 1931 que um grupo de intelectuais e ativistas, entre eles Francisco Lucrécio, Raul Joviano do Amaral, José Correia Leite, reuniu-se no salão das Classes Laboriosas, na antiga Rua do Carmo, hoje Rua Roberto Simonsen para fundar essa entidade. Depois, a Frente Negra mudou sua sede para a Rua da Liberdade. A organização, liderada por um Chefe Geral, com poderes absolutos, tinha um Grande Conselho de 20 membros, um Conselho Auxiliar, formado pelos cabos distritais e também uma milícia paramilitar, cuja linha de frente era composta por capoeiristas. Tinha bandeira, brasão e até hino.

— Hum! Na Frente Negra só tinha negro de classe... — ri o velho Tião, lembrando do primeiro presidente ou chefe geral, o professor Arlindo Veiga dos Santos.

Católico apostólico romano, desses que assistem à missa e comungam todos os dias, Arlindo era um patrianovista[14] convicto. Para ele, "a República é a grande vilã que, entre outros males, matou as conquistas da luta abolicionista, até a Lei Áurea. A 'Ré... Pública' é a única responsável pela situação de penúria dos negros".

---

14. Defensor ardoroso da monarquia, da instauração do III Império, chamado de Pátria-Nova.

O ódio à República desse ituano professor de latim, inglês, português, história, filosofia e sociologia, o fez recusar qualquer cargo público. Na década de 1930, chegou a rejeitar o convite para assumir a Secretaria da Educação do Estado de São Paulo, afirmando que jamais se beneficiaria do "presunto republicano". Antes da Frente Negra Brasileira, em 1928, Veiga dos Santos fundou o Centro Monarquista de Cultura Social e Política Pátria Nova.

Tião ainda se lembra de ter recebido, em 1934, das mãos do próprio professor Arlindo Veiga um manifesto intitulado: "O Comando Patrianovista". Guardou por anos, até o papel amarelar e depois se desfazer. Leu tantas vezes que sabe de cor alguns trechos: "Patrícios! Matemos a República, antes que a República mate o Brasil!" Mais à frente, dizia: "Merece, essa criminosa, carinho algum dos Brasileiros? Vendeu-os, empobreceu-os, desmoralizou--os, anarquizou-os, fê-los miseráveis e desgraçados em 40 anos, sob a cor mentida do 'progresso'! Morra a República!!!"

Certa vez, um aluno das aulas noturnas de alfabetização da Frente Negra para jovens e adultos contou a Tião que Veiga utilizava esse curso para doutrinar os estudantes.

— Não só as aulas, mas também as palestras e até as domingueiras dançantes — revelou o amigo. — Para ele, negro que se preze tem de ser monarquista.

— Não sei se sou republicano ou monarquista — confessa Tião. — Para ser alguma coisa, ou alguém, é preciso estudar. Por isso não sou nada. Não estudei, não sou ninguém.

As diferenças entre as tendências não eram tão simples assim. Desde 1917, quando estourou a revolução bolchevista na União Soviética, a palavra de ordem era "luta de classes". A polícia política de Getulio e a do governo paulista perderam a conta das pessoas que foram fichadas por se tornar socialistas ou comunistas. Principalmente entre os operários das fábricas do Brás, da Mooca ou do Ipiranga. E também entre os intelectuais.

Em suas discussões acaloradas, volta e meia alguém propunha invadir e se apossar de multinacionais como a Light — a Companhia The São Paulo Railway Light and Power —, constituída em 1889, com capital canadense e anglo-americano, que, além de fornecer a energia elétrica, mantinha o monopólio do sistema de bondes.

Depois da República, o comunismo era o principal alvo do ódio de Arlindo Veiga, de seu irmão e secretário-geral, Isaltino Veiga dos Santos, e daqueles que lhes eram mais próximos. Um ódio revelado não só através de discursos, mas também de atos violentos.

Um dos fundadores da Frente Negra, o jornalista José Benedito Correia Leite, de tendência socialista, abandonou a entidade no ano seguinte de sua fundação e criou, com José de Assis Barbosa, o Clube Negro de Cultura Social. Com atividades esportivas e culturais, esse clube, com sede na Rua Major Quedinho, visava atrair antigos associados da Frente. Leite que, em 1924, havia criado o jornal *O Clarim* (rebatizado de *Clarim d'Alvorada*), também lançou o jornal *A Chibata*, com uma única missão: combater os irmãos Veiga.

Mas a principal acusação d'*A Chibata* nem era o autoritarismo daqueles que se consideravam "donos da Frente Negra Brasileira". Correia dedicou a primeira edição do jornal à denúncia do que chamou de uma "imoralidade de Isaltino". Ao viajar com sua comitiva à cidade mineira de São Sebastião do Paraíso, o secretário-geral da Frente teve um caso extraconjugal com uma moça de família tradicional da cidade. Ideias contrárias eram possíveis de se admitir, mas adultério e desrespeito à família eram imperdoáveis.

Como resposta às "injúrias" publicadas n'*A Chibata*, os Veiga mandaram a milícia frente-negrina destruir a redação do jornal, que funcionava na casa de Correia Leite. Essa foi a razão da vida tão curta desse veículo de comunicação de, apenas, duas edições.

Religiosidade não é sinônimo de docilidade. Os Veiga jamais davam a outra face à tapa. Isto, porém, não nublava o carisma do eloquente Arlindo. Em pouco tempo a Frente Negra Brasileira tinha arrebanhado associados por toda a cidade, pelo interior paulista e até em outros estados, como Rio de Janeiro, Minas Gerais, Bahia, Pernambuco e Rio Grande do Sul.

O número de frente-negrinos chegou a 20 mil e deu à entidade a condição de se tornar um partido político, que foi fechado com o golpe getulista de 1937. A carteirinha de afiliado, com foto de frente e de lado, dava a negros e negras *status* nunca antes conquistado, na sociedade brasileira.

Tião não foi frente-negrino, mas se orgulha de fazer parte da mesma raça de gente como o professor Arlindo Veiga dos Santos, que lecionava em algumas escolas particulares e em faculdades como a São Bento, que depois se transformou na Pontifícia Universidade Católica, a PUC de São Paulo.

O que Tião desconhecia, porém, era a simpatia de seu "ídolo" pelos pensamentos do movimento integralista de Plínio Salgado, cujo lema era "Deus, Pátria e Família". Por isso, a Frente Negra adotou o *slogan*: "Deus, Pátria, Raça e Família". E, nesse tempo, a ideologia realmente tinha importância. Por isso os irmãos Veiga enfrentavam inimigos fora e dentro da comunidade negra.

O empastelamento do jornal *A Chibata*, no início de 1932, rendeu-lhes um tremendo processo, que os obrigou a contratar um defensor de grande talento. Foi assim que surgiu na história da Frente Negra o renomado advogado santista Joaquim Guaraná Santana.

Unidos aqui, separados ali. Em julho, o advogado rompeu com os Veiga e seus mais próximos. Aliou-se ao orador Vicente Ferreira, também membro da entidade, recém-chegado do Rio de Janeiro, e com outros ex-frente-negrinos. Esse grupo bandeou-se na defesa da causa constitucionalista, criando a Legião Negra de São Paulo.

Vicente Ferreira era outro motivo de orgulho de Tião. Numa conversa com ele, no salão das Classes Laboriosas, aprendeu que não devia aceitar ser chamado de "homem de cor", e sim de "negro", palavra que, segundo Ferreira, "era xingamento, mas virou bandeira da garra e da força dos descendentes de africanos".

Sempre que pode, Tião se diverte contando uma história ouvida de gente que conheceu Vicente Ferreira, no Rio de Janeiro. Ela se passa no Cemitério São João Batista, em Botafogo, nos idos de dezembro de 1918, durante os funerais de Olavo Bilac, o "Príncipe dos Poetas". Quando ele se aproximou do grupo seleto de oradores, com o surrado terno marrom, que nunca trocava, e seu sobretudo acinzentado, o escritor Coelho Netto, amigo íntimo do falecido, tentou impedi-lo de discursar, segurando-o pelo braço. Ferreira o enfrentou bradando:

— Larga meu casaco, mão profana!

Surpreso, o escritor saltou para trás, afastou-se, e Vicente Ferreira fez seu discurso, deixando todos boquiabertos, diante de seu talento. Foi o mais aplaudido de todos os oradores.

— Deu um banho na granfinada toda! — ri Tião.

Ele ainda guarda uma página quase apagada da *Folha da Noite*, de 13 de maio de 1932, com um longo discurso de Vicente Ferreira e a programação da comemoração dos 44 anos da Abolição: *"Sob o patrocínio da Frente Negra Brasileira, na grande data de hoje foram reservadas essas homenagens: Missa, na Igreja de Nossa Senhora dos Remédios, às 7 horas, em ação de graças pela aleluia, pela ressurreição triunfal da raça. Após a missa, concentração geral na sede central da Frente Negra Brasileira, à rua da Liberdade, n. 196, até as 9 horas. Visita tradicional ao túmulo de Luiz Gama, José Bonifácio, o Moço, Antonio Bento, na necrópole da Consolação. Canto do Hino da Gente Negra. À noite no seu salão nobre, a Frente Negra Brasileira inaugurará solene e festivamente um retrato de José do Patrocínio, trabalho valioso em crayon do artista negro Olavo Xavier. — O jogo que anualmente faz parte das comemorações, entre os quadros Branco e Preto, fica adiado para o dia 25."*

— Ferreira, Correia, Santana, Lucrécio, Amaral, Veiga, Gama, Patrocínio, Mahin, Rebouças, Sampaio, Assis, Barbosa, Cunha, Penteado, Nascimento, Oliveira, Cardoso... não faltaram sobrenomes para dignificar meu povo — comenta consigo próprio o velho Tião, no banco da praça.

— Quem sabe o que aconteceria se, em vez de viver brigando, um contra o outro, a gente tivesse se unido?

Lembra que já pensava isso quando, em 1934, dois anos após a revolução, leu um boletim assinado por Arlindo Veiga dos Santos: *"A gente de São Paulo que, por mal dos seus pecados e por injunções secretas, entrou sinceramente na aventura da constitucionalização (falo da gente humilde e não politiqueira, a qual não obedece aos estrangeiros e aos patrões ocultos judeu-maçônicos que sabem o quanto lhes rendem as 'constituições'!) está descrente daquela brincadeira. Faliu a República. Ela matará o Brasil, se nós a não matarmos antes!"*

O velho abre um sorriso e desabafa:

— Se dependesse de mim, teria feito dele presidente da República — para, pensa, ri e conclui: — Mas não ia dar certo. Ele odiava a República. Talvez só aceitasse se fosse aclamado imperador.

5

Preto, baiano, pobre, mãe louca...

Um bem-te-vi pousa num galho da árvore junto ao banco. Por um instante, o velho Tião abandona suas reflexões, para observar a ave. Seu canto o encanta. Um contraste com o mar de sons de buzinas, barulhos de motor e outros ruídos. "Bem-te-viii! Bem-te-viii!..." Imitando a ave, começa a brincar:

— Bem-qu'eu-vi! Bem-qu'eu-vi! — Surge, então, uma boa lembrança que lhe reaviva a memória e o faz soltar sua gargalhada desdentada. — Eta baiano arretado! Aquele, sim, fez São Paulo pôr seus inimigos de joelhos!

Apesar de estar falando de alguém que não poderia ser mais paulista, Tião sempre o chama de "baiano". Miro Patrocínio, o Teodomiro Benedicto Patrocínio da Silva.

Tião conheceu muitos grandes combatentes, mas ninguém foi mais marcante que aquele "mulato de cabelo bom", de cabeça sempre brilhando a vaselina cheirosa, elegante até na frente de combate.

Na verdade ele só soube que se tratava de um baiano na noite em que se tornou seu confidente, em plena frente de combate, no Vale do Paraíba. Isso aconteceu numa breve trégua, depois dos confrontos violentos em que seu pelotão matou um número grande de inimigos, mas também perdeu muitos homens.

A primeira imagem de Miro que vem a sua mente cansada e repleta de memórias é a de uma madrugada fria, no alojamento da Chácara do Carvalho. O jovem Tião, na cama de baixo do beliche, mergulhado em sono profundo, sonhava com uma linda baixinha sarará, seu par numa seleção de boleros. O casal rodopiava como ninguém, no iluminado salão dos Campos Elíseos[15]. Finda a seleção, a bela mulher para com a face muito próxima da sua, resfolegando e com os lábios trêmulos. Só lhe resta se aproximar alguns milímetros para tocar aqueles lábios vermelhos e carnudos. Quando ele toma a iniciativa, é arrancado dali, por um grande estrondo de porta batendo, seguido de um brado ensurdecedor:

— Soldados, sentido!

Instintivamente, o velho Tião se levanta do banco da praça, o mais rápido que consegue, apoiado na bengala. Tenta se colocar em posição de sentido, mas a idade e o desgaste físico não lhe permitem empertigar-se como desejaria. O forte brado do oficial, em suas lembranças, o arrancou de seu devaneio.

Depois ri de si próprio, pois, na memória, não sente o peso da idade. É jovem. Tem 20 anos. Está em pé ao lado de seu beliche, em camiseta e ceroulas brancas, como os demais companheiros. Sente-se como se estivesse vestido em farda de gala, pronto para a passagem em revista por um marechal.

A porta do alojamento está escancarada e uma silhueta escura faz-se atroz e gigantesca diante da contraluz de um holofote, instalado no pátio. Ninguém ousa piscar diante do recém-chegado cabo Miro Patrocínio. Não é à toa que, mesmo antes de o 3º batalhão da Legião Negra seguir para a frente de batalha, na

---

15. Salão de baile do Grupo Carnavalesco Campos Elíseos, na Alameda Olga, fundado em 1919, por Argentino Celso Vanderlei. Juntamente com o jornalista Lino Guedes, ele publicava, desde 1928, o jornal *Progresso*, cujo objetivo principal era angariar recursos para a construção de uma herma a Luiz Gama, no Cemitério da Consolação.

divisa com o Paraná, ele já será o 1º sargento Miro Patrocínio que, em combate, conquistará a patente de tenente.

— Tivesse vivido mais, duvido que não chegasse a general — comenta consigo próprio o velho.

Tião senta-se novamente no banco da praça, sorri, balança a cabeça hoje coberta de algodão branquinho e conclui:

— Não, acho que não. Nunca teve um general preto no Brasil.

Preto, baiano, pobre, mãe louca, criado por estranhos. Um perfeito vencedor que conseguiu superar seu próprio destino. Só podia ser mesmo um Patrocínio, como o patriarca da família, o abolicionista José do Patrocínio, seu tio-avô. Isso lhe era lembrado diversas vezes por dia, pela mãe de criação e madrinha, a solteirona Berenice Macedo Dalla Rosa, ex-patroa de sua mãe verdadeira.

Poucos, tanto na Legião Negra quanto em qualquer lugar por onde Miro Patrocínio tenha passado, conheciam essa história. Tião faz parte de grupo seleto. Ele e dois outros legionários que tiveram a oportunidade de tomar uma boa cachaça na companhia de Miro.

Seu grupo de combate estava entrincheirado nas cercanias da cidade de Queluz na madrugada que sucedeu à noite em que seu ídolo recebeu a patente de primeiro tenente.

Aquela foi uma madrugada de comemoração e de rememorar. À beira da fogueira, bebendo e fumando um cigarro de palha atrás do outro, Miro revelou aos soldados Tião, Bento e Luvercy, detalhe por detalhe de seu passado. Talvez nem falasse para eles, mas para si próprio, para ter certeza de que tinha mesmo vivido aquela história fantástica.

Começa com sua mãe, Benê, grávida de sete meses, percorrendo as ruas de Itabuna, no sul da Bahia, à procura do ex-namorado Valdomiro da Silva, um moço branco, baiano, que a engravidou em São Paulo. Ele viajou para a Bahia, na semana anterior ao carnaval, dizendo que voltaria na quaresma, e nunca mais deu notícia. Esse sumiço aconteceu antes que o médico do posto de saúde confirmasse a gravidez de Benê.

Foram dias de viagem num velho ônibus e na carroceria de um caminhão, até Itabuna, para a família do namorado, de origem portuguesa, dizer que não tem notícias dele. Parte para Ilhéus e roda todo o sul da Bahia em busca de Valdomiro, que teria se embrenhado nas plantações de cacau e nunca mais foi visto.

Persistente, Benê não desiste. Arrasta seu barrigão por hectares e hectares de cacaueiros. A gosma, que cai das plantas, prende seus pés e dificulta a caminhada, mas ela continua perguntando por Valdomiro. Não falta quem lhe diga que o viu lá pelas barrancas de um rio de nome esquisito ou em trabalho escravo, na fazenda de um coronel qualquer.

A hora de dar à luz apanha Benê numa pequena tapera, sob os cuidados de uma velha parteira, cujos vizinhos juram ser feiticeira. Horas de sofrimento, berros da parturiente e ordens da anciã, misturadas a orações, um urro desesperado da mais nova mãe. E surge o menino chorão nas mãos enrugadas da parteira, que profere algumas palavras ininteligíveis. Ela, então, o coloca sobre a barriga materna, enquanto corta o cordão umbilical, dá o nó no umbigo e limpa toda aquela sujeira puerperal.

Teodomiro Benedicto Patrocínio da Silva, um nome pomposo registrado no pequeno cartório de Ilhéus. Teodomiro, filho de Valdomiro, Benedicto, como a mãe, Patrocínio, como a família dela, e Silva, como o pai, um Valdomiro de quem nunca mais ninguém teve notícia. Como tantos outros, embrenhou-se naquelas terras, onde a pistolagem é mato, as doenças mortais e os animais peçonhentos se multiplicam a cada dia.

Quase um ano depois, após o São João de 1902, mãe e filho enfrentaram quilômetros e quilômetros em lombo de burro, carroça, pau de arara e o trem que ligava o Rio a São Paulo. Benê bate de volta na casa da ex-patroa, dona Berenice Macedo Dalla Rosa, no bairro de Higienópolis.

Filho de Benedicta Maria de Jesus do Patrocínio, a Benê, ex-empregada doméstica, que morreu no Pinel, na aurora dos anos 1920, o menino Miro não chegou a conhecer bem a mãe. Lembra-se de tê-la visitado umas poucas vezes. E também de que tinha muito medo de que ela o tocasse. Ficava agarrado à saia da madrinha que, em vão, tentava aproximá-lo de Benê:

— Beija sua mamãezinha, Miro! Olha como ela é bonita! Ela te ama, filho! Faz carinho nela!

Mas ele morria de medo e se enrolava ainda mais na volumosa saia de Berenice, pedindo a seu anjo da guarda para chegar logo a hora de ir embora. Só à saída criava coragem de olhar para trás e ver de soslaio a mulher negra acenado de maneira quase letárgica.

Ouvir que iam visitar a mãe era o maior pesadelo. A "loucura" de Benê se confunde com toda a primeira infância de Miro e com uma "culpa", que fez parte de seus pesadelos para o resto da vida.

6

Como se clareia a noite da pele humana?

Jovem e bela, Benê costumava acompanhar a também jovem Berenice a praticamente todos os lugares: atos de caridade, passeios, convescotes. Divertia-se vendo as moças casadouras distribuindo sorrisos e piscadelas aos herdeiros de todas as fortunas paulistanas. Lá chegando, porém, se mantinha apartada junto às demais acompanhantes, que estavam ali apenas para atender aos caprichos das "sinhazinhas".

Ambas pertenciam a irmandades religiosas. A patroa, à Irmandade das Senhoras Caridosas de Nossa Senhora do Rosário, na grande e rica matriz. A serviçal ia à pequena capela da Irmandade de Nossa Senhora do Rosário dos Homens Pretos. Saíam juntas, mas se separavam próximo às igrejas e, depois das missas e rezas, reencontravam-se para a volta.

A matriz tinha atos solenes, cerimônias pomposas, missas cantadas, com bispo, monsenhores, diáconos e subdiáconos, coral. Depois, chás de caridade e eventos para arrecadar donativos. A capelinha também tinha missa, mas era mais simples, com padre em paramentos pobres e coroinha de batina preta e sobrepeliz.

Benê adorava as quermesses e festejos populares que aconteciam depois da missa ou da procissão, no terreiro atrás da sacristia da capela. Numa noite, poucos meses depois de ter retornado da Bahia, com seu bebê, Benê foi convidada por Berenice a irem juntas à novena da igreja matriz. A empregada preferia não ir, mas como negar, diante da insistência da patroa, agora também sua comadre?

Olhos arregalados, diante do fulgor e da riqueza da igreja, Benê se manteve no fundo junto a uma larga coluna de mármore. Dali, via a patroa se encaminhando para um dos bancos da frente, onde encontrou outras senhoras e senhoritas, as mais elegantes da sociedade. A cada passo era cumprimentada por alguma devota e por imponentes senhores.

Nos últimos bancos, atrás deles e nas laterais, ficavam os homens e mulheres do povo. Benê sabia que ali era o seu lugar, perto da porta. Estava deslumbrada. Tudo era muito bonito. Teve reza do terço, cânticos, fumaça de incenso e aspersão de água benta. Aos acordes que emanavam dos tubos do órgão, cometeu o sacrilégio de pensar: "Será que as canções que ecoam na capelinha dos pretos, sem acompanhamento de nenhum instrumento, também chegam aos ouvidos de Deus?" Aí, lembrou-se de que a gente pode pecar por atos, palavras e pensamentos. Fez o sinal da cruz três vezes e rezou um "Crendeuspai", pedindo perdão.

Na volta, aproveitando a suave brisa da noite outonal de lua cheia, as duas seguiam a pé, quando foram cercadas por um bando de soldados republicanos bêbados. Eles retornavam de uma das campanhas para massacrar revoltas monarquistas, messiânicas ou coisa parecida, em algum canto do País. Ambas foram agarradas. A empregada tentou defender a patroa e foi espancada e currada. Como feras, rasgaram-lhe as roupas e possuíram-na à força. Mordiam, socavam, chutavam e a submeteram a toda sorte de humilhações e sevícias.

Segura por dois ou três homens, Berenice implorava para que parasse aquela brutalidade. Diante de seus olhos, um horror jamais imaginado. De repente, os soldados largaram a negra e se voltaram para ela. Quase no mesmo instante, surgiu, imponente em seu cavalo preto, um oficial.

— Soldados, sentido!

Como se fosse uma senha, as bestas-feras se transformaram em cordeiros leais e obedientes à hierarquia militar. Aos brados, o oficial recriminava os subalternos que, mesmo seminus, com as roupas desarranjadas, permaneciam em posição marcial.

Ao ser solta, Berenice correu abraçar a desfalecida Benê. Sem apear, o militar descobriu a cabeça e lhe perguntou se seus soldados a haviam molestado. Informado de que eles "apenas" violentaram a empregada, o oficial fez-lhe uma reverência e ordenou seu pelotão que seguisse rumo ao quartel. Nem ao menos se deu ao trabalho de olhar para a negra nua e ensanguentada, no chão, abraçada pela patroa, que chorava de horror e piedade. Marchando, os estupradores foram seguidos pelo cavaleiro, cuja mente não tinha espaço para outro pensamento que não fosse sua próxima campanha militar.

Desde então, Benê perdeu a saúde e a alegria de viver. Grávida, de novo, sifilítica e deprimida, seu estado agravou-se com o sofrimento de um parto difícil, no quartinho dos fundos da mansão em Higienópolis. O bebezinho — uma menina — nasceu morto.

Benê enlouqueceu, definitivamente. Só restou a Berenice interná-la no Pinel e criar Miro como se fosse seu filho. Essa se tornou a grande missão de sua vida. Jurava para si própria que o fazia pelo fato de ser mulher piedosa de grande devoção, mas no fundo de seu coração sabia que, se Benê não estivesse com ela, naquela noite, certamente não teria dado tempo para a chegada do oficial e os soldados não a teriam poupado.

— Você será um homem importante, Miro — insistia a madrinha. — Tão importante quando seu tio-avô, o intelectual, jornalista e abolicionista José do Patrocínio. Você sabe que ele é muito respeitado e admirado por toda a intelectualidade brasileira? Você é um Patrocínio. Tem de impor o seu nome a toda a sociedade.

Berenice, cujos pais morreram antes da virada do século, tem um único irmão, bem mais velho que ela, o major do Exército Nelópidas Dalla Rosa, que prometeu punir severamente cada um dos agressores da empregada, mas jamais apresentou qualquer prova da tal punição.

O major foi casado com dona Verônica Cantalizza Dalla Rosa, e é pai de Nelópidas Dalla Rosa Filho, o Neo — o único amigo de

Miro. O menino, caçula de uma família de sete crianças — seis meninas e ele —, não se sentia bem entre as irmãs. Todos achavam natural que fosse o preferido do pai e esperavam que seguisse a mesma gloriosa carreira.

Austero, como todo oficial militar de alta patente, o major Nelópidas criou o filho com rigor. A amizade com o "menino de cor" não o agradava. Neo não ligava. Era só surgir uma oportunidade e lá ia para a casa da tia, que ficava próxima de sua residência. Era indescritível o prazer de estar na companhia de Miro, um garoto muito mais inteligente que ele, sensível e interessado em estudar, aprender e apreender tudo sobre qualquer coisa.

Todos os dias, o afilhado de Berenice ajudava o sobrinho dela a fazer as tarefas escolares e a entender melhor as coisas do universo e do tempo em que viviam. Brincavam, jogavam bola, pião e outros folguedos, pelas cercanias do casarão, pelas ruas arborizadas de Higienópolis, o segundo loteamento nobre criado para barões do café pelo engenheiro suíço Frederico Glete e pelo alemão Victor Nothmann, sócio do urbanista francês Martinho Buchard.

Antes de ser um dos mais elegantes bairros da cidade, aquela área se constituía das chácaras de três senhoras aristocráticas: dona Maria Antonia da Silva Ramos, filha do Barão de Antonina; dona Maria Angélica de Souza Queiroz Aguiar de Barros, filha do Barão de Souza Queiroz; e dona Veridiana Valéria da Silva Prado, filha do Barão de Iguape.

Angélica, Maria Antonia e Veridiana, para o Miro, eram apenas os nomes das alamedas, nas quais observava a beleza e os detalhes dos casarões, que o animavam a sonhar em seguir a brilhante carreira do arquiteto Ramos de Azevedo. Para Neo, porém, eram apenas nomes femininos. Ele as imaginava belas e fogosas como as meninas do Colégio Des Oiseaux e do Nossa Senhora do Sion — administrados por freiras —, cujos limites da ousadia e da liberalidade adorava experimentar.

Em casa, seu comportamento era moderado. Não raro, dava um jeito de provocar o pai:

— Engraçado, não é, papai? Já reparou como esse meu amigo moreninho é inteligente? Tem muita facilidade para aprender as coisas. O senhor não acha que ele se daria bem na escola militar?

O major não via com bons olhos a admiração do filho pelo protegido de sua irmã:

— Não sei. Pode ser, mas... Cuidado, menino! Vai dando corda e, daqui a pouco, ele vai até pensar que pode ser igual a você!

Se dependesse de Berenice, Miro seria igual ou até melhor que seu sobrinho. Ela fez questão de dar a ele uma educação requintada, erudita, com acesso a uma vasta biblioteca, estudando piano e mantendo-o o mais longe possível do povo negro e de seus costumes, que ela considerava inferiores. Boas roupas, alimentação farta, práticas esportivas de qualidade e o melhor ensino que o dinheiro poderia pagar.

Não é à toa que Teodomiro cresceu admirando tudo que tivesse origem na Europa — coisa, gente, usos e costumes — e renegando todas as "práticas vulgares daquela gente de cor", com a qual tem em comum, apenas, uma pele muito longe da alvura, que o tornaria realmente feliz.

Não fosse a solidão da frente de batalha, durante a Revolução, a morte iminente e um certo drama vivido, meses antes, numa pequena cidade do interior paulista, Miro jamais teria se aproximado de Tião ou de qualquer outro negro. Não. Não dava para misturar-se. Ele era "moreno", tinha os traços do pai e, segundo a madrinha:

— Os Patrocínio nem são muito pretos.

Ela jura que essa é uma família com uma boa porcentagem de sangue português. A cor, segundo Berenice, se deveria ao fato de eles terem origem mourisca e também sangue de índio. E aí contava uma história heroica da bisavó materna de Miro:

— Era uma bugre, que foi caçada a laço no mato, mas jamais se deixou escravizar.

7

Quanto vale um bom sobrenome?

Graças à madrinha e aos professores que contribuíram em sua educação, Miro sempre acreditou que é muito mais nobre a ascendência indígena "daqueles que jamais se deixaram escravizar" do que ter raízes na África negra.

Ao pensar nisso, o velho Tião sente um grande arrepio. Retesa o corpo, vê-se transformado num imenso baobá, com suas longas raízes atravessando o Atlântico e cravando-se profundamente no solo africano. A seiva que traz do solo negro enegrece seu tronco, seus ramos, suas folhas, suas flores e, consequentemente, seus frutos. Suspira profundamente e sorri.

Sua mente, agora, o leva a uma noite de setembro de 1932, à beira de uma fogueira, no Vale do Paraíba. Até sente o calor do fogo, o aroma da caneca de cachaça e ouve as palavras de Miro:

— Eu negava minha negritude por desconhecer minha árvore genealógica...

Uma pausa na narrativa para enrolar mais um cigarrinho de palha. Uma parada mais longa, para refletir. No vigor de seus 20 anos, Tião é forte e resiste bem ao álcool. Olha dentro da caneca de ágata e sorve mais uma boa talagada. Não fala, mas pensa: "Que bela floresta de árvores genealógica nós temos! Árvores fortes, altas, nobres, de madeira de lei. Não fraquinhas e enroladas feito trepadeira ou chuchu".

Como seria sua árvore genealógica? Talvez um negro baobá, do qual ele seria um dos galhos mais fortes.

— Muito prazer! Sebastião Honório de Paula Prado, seu criado!

Enquanto Miro não continua sua história, Tião fica pensando que só se tornou um "Prado" na hora do alistamento. Tinha lido no jornal que a sede da Legião Negra era na antiga chácara da família Prado e achou divertido imaginar que ela lhe pertencia. Da banca de jornais foi direto para lá, para alegria do jornaleiro Quincas, que recebeu do inconformado sapateiro Gino mais uma nota de mil réis, novinha, estalando.

Não tinha documentação. Mas o alistador não podia dispensar um voluntário e aceitou os dados que declarou, dando-lhe um documento de alistamento que valia como uma identidade provisória. Oficialmente, tornou-se um Prado, muito tempo depois. Era o ano de 1960 e ele se registrou em um cartório. Já estava com 50 anos, quando soube que, na década de 1940, houve um incêndio num cartório da capital e todos os livros de registro haviam se queimado. Teve, então, a ideia de ir lá e pedir segunda via de sua certidão de nascimento.

Sonolento, o cartorário explicou a impossibilidade de encontrar registros anteriores aos anos 1940. O solicitante jura, de pé junto, que foi registrado naquele cartório em 1912 e apresenta o velho documento de alistamento. Também levou consigo duas testemunhas, dois velhos sambistas da Nenê de Vila Matilde, malandros do Largo do Peixe, na Penha, e antigos parceiros de jogatina, num carteado da Rua Direita.

Os depoimentos e as assinaturas dos dois cidadãos também pesaram, mas muito menos que as fotografias de alguns heróis nacionais impressas em notas que somavam alguns milhares de cruzeiros e que, rapidamente, passaram para um dos bolsos do paletó postado no espaldar da cadeira do cartorário. Diante de comprovação tão expressiva, o oficial não teve dúvida sobre a veracidade das declarações.

Feito o registro com as informações fornecidas por ele, Tião agora se sentia herdeiro da fortuna do poderoso Barão de Iguape,

Antonio da Silva Prado, cafeicultor, comerciante de açúcar e de tropas, um dos paulistanos mais ricos de sua época, pai de dona Veridiana, a antiga dona de um terço de Higienópolis e boa parte dos Campos Elíseos e da Barra Funda. Não tinha dúvida de que haveria advogados aos montes ávidos em amealhar os honorários de uma causa dessas.

— Um dia entro na Justiça para garantir minha parte na herança do antepassado, que acabo de adotar — ri muito com os dois amigos, num bar da Ponta da Praia, na esquina do Vale do Anhangabaú com a Avenida São João.

Quando Tião e as testemunhas deixaram o cartório, uma das funcionárias questionou o patrão se não poderia resultar em graves problemas.

— Certamente, ele estará morto antes de poder incomodar os herdeiros do barão.

Guardando as notas na carteira, passou duas delas à funcionária, acrescentando:

— Se for mentira, deixe-o, ao menos, morrer feliz com o nome que escolheu.

Ao providenciar sua documentação, nos anos 1960, Tião não sabia que a aristocracia paulista estava decadente, que não tinha mais nada para se partilhar. Ele podia até se considerar um "barão". Mas, como os demais, era um barão falido.

Lá na Chácara do Carvalho, o jovem "Barão Tião" contava que sua avó paterna, Rosalina, foi a mais bela escrava da fazenda dessa família quatrocentona, no interior paulista. Jurava que o velho patriarca a havia deflorado ainda menina e a engravidou. Dessa união teria nascido seu pai, Miguel, que chegou a ser registrado com o sobrenome da família. Mas esse registro desapareceu misteriosamente, e o filho negro do barão jamais foi reconhecido como tal pela sociedade.

E enfatizava que o patriarca Prado deixou em testamento uma boa quantia para os herdeiros de Rosalina, mas o restante da família conspirou para que eles nunca a recebessem. Ninguém acredita nessa história, mas Mão Grande sabe que a continuará contando, até ficar bem velho e não se lembrar mais.

O jovem está refletindo sobre isso, quando chegam aos seus ouvidos acordes iniciais de um dobrado. É a Banda da Legião Negra de São Paulo ensaiando, sob a regência do maestro tenente Veríssimo Glória, ex-mestre capela, compositor tanto de música sacra quanto de banda e música ligeira. Desde 1925, Veríssimo faz parte da Orquestra Sinfônica e toca diversos instrumentos, como o trombone, o contrabaixo, o fagote e a requinta. Foi um dos primeiros voluntários a atender ao chamado de São Paulo. Sua banda toca forte e impávida... um colosso! No dia seguinte todo o batalhão vai desfilar pelas ruas do centro.

Sob uma imensa seringueira, num canto da chácara, Tião lê na primeira página de *A Gazeta*, uma matéria de título pomposo: *"Os homens de cor e a causa sagrada do Brasil"*. Enquanto ouve a banda, seus olhos passeiam por aquele mar de palavras: *"Também os negros de todos os Estados, que vivem em São Paulo, patriotas, fortes e confiantes na grandeza do ideal, sob a direção do doutor Joaquim Guaraná Sant'Anna, tenente Arlindo, do Corpo de Bombeiros, tenente Ivo e outros, uniram-se formando batalhões que, adestrados no manejo das armas e na disciplina, vão levar nas trincheiras externas, desprendidos e leais, a sua bravura, conscientes de que se batem pela grandeza do Brasil, que seus irmãos de raça: Rebouças, Patrocínio, Gama e outros muitos, tanto dignificaram"*.

Para. Toma um fôlego e continua lendo: *"Os nossos irmãos de cor, cujos ancestrais ajudaram a formar este Brasil grandioso, seguem cheios de fé, ao nosso lado, ao lado de todos os brasileiros que levantaram alto a bandeira do ideal da constitucionalização, para a cruzada cívica, sagrada, da união de todos os Estados, sob o lábaro sacrossanto da pátria estremecida"*.

Para Mão Grande, quem escreveu esse artigo não deve conhecer nenhum dos legionários e muito menos os verdadeiros motivos que levaram a maioria a se alistar. Dá uma boa gargalhada, com sua boca repleta de brancos e fortes dentes. Pois em sua mente não está mais ali, mas se vê gingando o corpo e ajeitando na cabeça o recém-comprado chapéu de feltro marrom. Está no Largo da Banana, onde o jogo da tiririca, o batuque, o samba, o carteado e os dadinhos comem soltos.

Sua chegada é festiva. Tião é um dos mais populares de todos os que se reúnem ali para aguardar a chegada dos trens de carga, no pátio da Barra Funda. Vão descarregar bananas, café e outras mercadorias. Descarregam e recarregam os vagões, em troca de alguns tostões. Mas ganham muito mais mesmo é na porrinha[16], no carteado, nos dadinhos e na tiririca.

E como ele é bom de pernada! Derrubar Tião é quase impossível, assim como também é quase impossível ficar de pé quando ele entra na roda para distribuir pernadas. Malandro, ginga de um lado ginga de outro, estica uma perna, troca pela outra e, de repente, gira. Quem vai pro chão não tem choro nem vela, paga!

"Mourão, mourão/ Vara madura que não cai/ Mourão, mourão, mourão/ Catuca por baixo que ele vai." Esses eram os versinhos cantados pela rapaziada enquanto as pernadas eram distribuídas. Muitos anos depois, eles viraram refrão do maior sucesso carnavalesco do cantor Blecaute (Otávio Henrique de Oliveira), o "General da Banda".

Tião é bom, sim, mas o melhor mesmo na tiririca é outro malandro. Chama-se Bento. Sempre de terno de linho branco, com seu paletó do tipo jaquetão, guarnecido com grandes ombreiras e golas largas. Gravata fina, camisa de seda e sapatos engraxados.

Numa tarde, Tião estava penteando os cabelos "fritos", recém-alisados com pente de ferro quente e banha animal, quando Bento se aproximou e levantou um pé, calçado em lustroso sapato de cromo alemão, estancando-o próximo ao rosto do amigo. Então sugeriu que utilizasse o seu calçado como espelho. Depois, gargalhando, continuou a caminhar macio, pé ante pé.

— Esse sim é o rei da tiririca! — admite o amigo.

A chegada de Bento na roda da tiririca é sempre anunciada com uma toada muito antiga: "Oi, embaré, oi embará! Balança que pesa oro não pode pesá metá!"

O ritual é sempre o mesmo: ele despe o paletó, dá para um moleque carregar, abre um largo sorriso, mais branco que o terno.

---

16. Jogo tradicional com palitos de fósforos, também chamado de "palitinho". O jogador tem de adivinhar quantos palitos há na mão do adversário e somá-los aos que estão em sua mão. A cada rodada, os jogadores fazem lances e, ao final, vence quem acertar o total de palitos em jogo.

Bota uma perna pra trás, apoiado na da frente e começa a girar alucinadamente de um lado e de outro. Antes que os demais se apercebam, vão recebendo as pernadas e desabando pra todos os lados. Quem cai tem de ficar ali, no solo, até a roda acabar.

Então, Bento bate a poeira das calças, apanha o paletó, recebe o dinheiro dos apostadores e lança uma moeda para o moleque, que sai pulando de alegria e orgulho por ter servido ao "Rei da Tiririca".

Mas Tião também é rei e seu império fica ali, num canto da praça, onde outro grupo está concentrado no jogo de cartas. Todos juram que ele rouba nas rodas de carteado, mas ninguém até hoje conseguiu provar. O apelido "Mão Grande" não o incomoda. Suas mãos de mágico, e o sorriso aberto, sempre irritam os perdedores, prontos a sacar da navalha e partir pra cima.

O longo lenço de seda, no bolso do paletó de gabardine caqui, já o salvou dezenas de vezes. Enrola uma ponta no punho, enquanto a outra é lançada na mão do valente. Basta um puxão e a navalha vai parar longe, arrastando por água abaixo toda a valentia.

"Valente morre mais cedo!", diz o ditado, mas ali eles sempre são salvos pela turma do "Deixa disso!" Salvos e escorraçados, com chutes na bunda e tapas na nuca, sempre partem jurando voltar. Mas não voltam. Assim que o valente se afasta, Tião é aclamado pelos trabalhadores informais do Largo da Banana.

A cena que se segue também se repete muito constantemente: ele ajeita o paletó, a camisa branca de algodão, através da qual se avista a também muito limpa camiseta regata. Depois seu olhar passeia pelo largo à procura do terno de linho branco de Bento. Geralmente o avista de costas, de partida...

— Já vai para a Rua Dona Angélica, Bento?

— O que você acha, Tião?

— O trem tá pra chegar. Tem muita banana pra descarregar. Olha a fila de carroceiros esperando.

— Isso não é pra mim, não, Tião — ri o malandro. — E nem é pra ti também. Minha preta não quer ver nódoa de banana em meu terno de linho. E a tua te mata se sujar essa tua camisa branca.

— É. Mas a minha Rosa não é como a tua nega, que sempre tem uns bons tostões guardadinhos pra adoçar a boca do preto dela. Bem que Rosa queria, coitada. Mas não tem.

— Que isso, mano velho? O que você pensa que eu sou? Eu ganho o meu, suado...

— Suando na cama de Madalena — gargalha Tião.

— Deixa de ser safado, olha a pernada!

— Vai embora logo, Bento, seu bom de bico! Sabe que, se demorar, a tua Madá...

— Madá não, Tião... é Glória, uma mulatinha sestrosa, de cintura fina e canelinha de tico-tico. Tá caidinha por mim, desde a semana passada, quando a tirei pra dançar lá num baile, lá no prédio Martinelli.

— Você, Bento, ainda vai se dar mal. Olha se a Madá te pega com a mulatinha...

— Pega, não. Não pegou com Rita, que está comigo há mais tempo e que trabalha na mesma rua que ela... Essa sim. Se me pegar com a Glória, sei não o que me faz... É uma onça — comenta o risonho malandro.

Quando o amigo se afasta, Tião comenta com Degolin, o engraxate cego de um olho:

— Bento não tem jeito! O pior é que todas elas gostam de ver esse nego na estica. E sempre lhe trazem as roupas e sapatos que ganham dos patrões.

O engraxate abana a cabeça e comenta:

— Eu não dou uma sorte dessas. Nunca. Pra mim só sobra encrenca, conta pra pagar, mulherada querendo embuchar e barrigudinhos pra sustentar.

8

Roda gira, gira roda... Vida vira, virou!

Tião, sim, tem sorte e nunca arranjou encrenca fora de casa. Foi contando com a sorte que se alistou na Legião Negra. E não deixou de levar consigo um bom baralho, nem velhos costumes como o do cochilo após o rancho, em busca do sono reparador e digestivo. Enquanto ele faz a sesta no alojamento, seus companheiros se matam lá fora, limpando armas e fazendo exercícios suados que, segundo seu sargento, vão lhes salvar a vida no campo de batalha.

Pode ser, mas a digestão de Tião precisa de repouso. Dá uma fugidinha, esconde-se atrás do bebedouro dos cavalos, arrasta-se sorrateiro por detrás de um barracão e por uma pilha de sacos de areia até chegar ao alojamento. Atira-se na cama de baixo de seu beliche, sem nem ao menos tirar as botas. Minutos depois, já está num mundo, onde jamais se ouve falar em sentido, em marchar, em volver à direita ou esquerda, não há disparos, alvos, cordas para subir, lama para se arrastar e outras situações que infernizam a vida de um vivente.

Não tem mais ninguém no alojamento, só Tião e seu sonho. De repente um estrondo de porta aberta de supetão. Desperta assustado enquanto tenta decifrar a imagem que vem célere em sua direção, para diante de seu beliche e joga uma pesada mochila, que quase cai em sua cabeça. Tião tenta levantar-se, rápido, mas não consegue. Bate a cabeça na cama superior e cai sentado no colchão de baixo. O susto, o sono mal despertado e a cabeçada o deixaram atordoado. Fica ali estatelado tentando entender o "furacão":

— O que é isso? O que está acontecendo?

Rosto babado e um palito preso nos dentes, no canto da boca. Tião tenta limpar a face, quando reconhece a risada do soldado recém-chegado.

— Pensa que só você vai gozar as glórias, medalhas e a mamata da Legião Negra, mano velho?

— Bento? É você, seu malandro? Caramba! Não acredito que você também se alistou.

— Claro, compadre! Também quero moleza: cama, comida, roupa lavada e botas resistentes... e, ainda por cima, um soldo, que não é grande, mas dá pro gasto? Será que tem vida melhor?

— Tudo da pior qualidade, por sinal! Vai sentir saudade de seu cromo alemão.

— Que nada, Tião! Eu tiro essa guerra de letra!

— Tira sim. Sei disso. Mas, ontem, ouvi um tenente comentar com outro oficial que de tudo que é arrecadado para os soldados, só o pior vem pra nós. Cigarros, só vêm os mata-ratos, quebra-peitos. Dão pra gente uns biscoitos duros que têm que ser quebrado com pedra. Só servem pra acertar na cabeça do inimigo.

Ambos riem muito. Bento se diverte com qualquer coisa. Aquilo para ele é mais uma aventura.

— É mesmo, velho?

— Verdade. Foi o tenente Joviano — Tião se lembra da fúria desse oficial dizendo ao colega de patente: "As coisas boas vão para os batalhões dos brancos. Eles é que são o Exército Constitucionalista. Nós somos, apenas, bucha de canhão".

Bento reconhece o nome:

— Raul Joviano do Amaral? Eu conheço esse tenente. Ele é da Frente Negra. É o chefe da milícia de segurança lá. Bravo como ele só! Esse, sim, é raçudo! Já me encarou um bocado de vezes.

— Ele mesmo.

— Conheço. Fui lá atrás de umas pretinhas. Me botou pra correr — ri mais. — Os pretos da Frente não pedem pinico pros brancos, não.

— Eu também já fui ao baile, lá — conta Tião. — E, quando voltar da guerra, quero entrar nas aulas noturnas também. Se a gente não estuda...

— Olha, Tião! Aqui pode ser ruim. Mas, qualquer coisa, é melhor que carregar carga pesada nas costas ou na cabeça. Encher ou esvaziar vagão de banana, café, cimento, quartos de boi, areia, ou seja lá o que o trem trouxe ou tem que levar.

— É, você conhece bem a dureza da vida. Quer dizer, conhece de vista. Nunca carregou coisa nenhuma.

— E você? Carrega o quê? Dadinho e carta de baralho? Pois eu prefiro carregar nega formosa.

— O sujo falando do mal-lavado. Seu lance é tiririca e as moedas e quitutes da preta Madalena.

— Pois é, velho. Mas aquela fonte secou...

— É mesmo? O que aconteceu?

— Só conto se prometer não zombar de mim...

* * *

Rua Dona Angélica. Na cozinha da mansão de um casal libanês — donos de uma tecelagem lá no bairro do Ipiranga —, Madalena, a rechonchuda cozinheira, está toda atarantada junto ao fogão de gás encanado. Prepara o jantar para os patrões. De repente, ouve um longo assobio que a deixa agitada. Corre à porta, entre a cozinha e a sala. Verifica se alguém mais ouviu aquele som. Mas não. Está tudo calmo.

Seu olhar busca aqui e ali. A patroa está na sala, ouvindo num gramofone uma canção na voz de um tenor italiano enquanto faz tricô. Mais adiante ela vê que a porta do escritório do patrão está entreaberta. Dá para vê-lo, bastante concentrado, na leitura de um dos pesados volumes de capa de couro de sua vasta biblioteca. Não, não há nenhum perigo aparente.

Volta para a cozinha e prepara rapidamente uma marmita, que amarra com um grande guardanapo, quando ouve outro assobio e outro, em seguida. Fica nervosa e corre ao fundo do quintal. Olha para os lados para ver se os assobios não chamaram a atenção de alguma das crianças, que brincam no jardim, ou de outros empregados. Abre uma portinhola e sai em um terreno baldio ao lado da mansão. Lá está Bento, com seu terno branco de jaquetão de ombros largos, cigarro na boca e sorriso nos lábios. Madalena sussurra, passando-lhe a marmita:

— Já falei pra assobiar uma vez só, nego à toa!

Ele nem ouve a queixa da cozinheira, enquanto destampa a marmita e saboreia o aroma:

— Hum... tá cheirosa, como você...

— Não paparica, não. Ficou fazendo zoada!

Bento coloca a marmita sobre um caixote, junto ao muro, e agarra a companheira, que finge não querer afago, e tenta, sem muito esforço, se desvencilhar dele.

— Oh, pretinha... Achei que tu tava muito entretida nos teus afazeres e não tinha me ouvido.

Dando-lhe as costas, ela se aninha, enlaçada pelos braços do amado e fala um pouco mais relaxada:

— É, mas se dona Risoleta ou o doutor Edmond escutam, eles me põem no olho da rua. Aí, pode dar adeus pra essa boa vida.

— Boa vida? Você sabe muito bem que eu dou duro lá no Largo da Banana.

— Dá duro é na tiririca e no carteado! Pensa que eu não sei o que se passa por lá?

— Ô, nega desconfiada, o que é que há? Precisa botar mais fé no taco deste teu crioulo!

— Ah! Nesse eu boto fé, sim!

Com um sorriso malicioso, Madalena agora está completamente entregue e envolvida com ele. Trocam carícias. Mas ela o interrompe. Vira de frente e bronqueia novamente:

— Vai! Vai embora, negão! Você ainda vai complicar minha vida. Vou perder o emprego.

Enquanto fala, afasta-se. Já no portão, volta-se para ele. Pensando que Madalena vai beijá-lo, Bento fecha os olhos, mas ela, num gesto rápido, coloca uma nota no bolso de seu paletó e começa a empurrá-lo, enquanto o critica:

— Pensa que não sei o que vai fazer agora? Sei sim. Vai comer a marmita e, depois de lavar a boca na fonte do chafariz, vai descer pra Barra Funda. Sei muito bem que, lá, te chamam de o "Rei da Tiririca".

Quem vê aquela cena imagina que Madalena esteja muito revoltada. Tanto que, quando termina de falar, volta-se lhe dando as costas.

Rindo muito, Bento aplica-lhe um tapa na volumosa nádega. Ela fecha o semblante e se afasta, batendo o portão às costas. Mesmo com o portão fechado, ele lhe manda um beijo e sai gingando o corpo.

Com as costas coladas ao portão, Madalena suspira fundo e espera o coração desacelerar:

— Nego à toa — depois abre um sorriso malicioso. — Mas é gostoso como quê!

* * *

A história já é conhecida de Tião que, lá no alojamento da Legião Negra, na Chácara do Carvalho, anseia para ouvir a novidade. Por isso comenta:

— Não falo sempre que você não é chegado ao trabalho duro?

— Como não? Sem dureza, que nega vai me querer?

Ambos dão uma estrondosa gargalhada. De repente, Bento para de rir e muda a expressão.

— Pois é, meu irmão! Mas, agora, vou ter de enfrentar outra dureza.

— Mas, afinal, o que aconteceu?

— Acredita que conheci a Judite, uma branca de zoio verde, que deu em cima de mim? Branca tinhosa que nem neguinha. Entrei na dela. Uma delícia! Só que eu não sabia que ela é irmã de criação sabe de quem? Da própria Madalena. Acho que foi armadilha. Deu com a língua nos dentes e minha nega jurou me capar.

— Capar? Não acredito!

— Foi um salseiro só. Quando cheguei pra buscar a marmita, Madalena me recebeu com o facão afiado da cozinha. Dei uns passos pra trás e ela, sem dó, me atirou o facão. Passou aqui, ó! A um centímetro de meus predicados. Se eu não sou ligeiro, tinha virado moça e ia cantar fino. Só me restou me alistar na Legião.

Os amigos se contorcem, com as mãos na barriga dolorida de tanto rir. Mas a alegria do reencontro é interrompida pelo toque do clarim. Hora da formação. O comandante vai passar a tropa em revista.

Saem rápido e se juntam aos demais, no pátio, a tempo de ouvir as instruções do tenente Arlindo Ribeiro, um militar negro de carreira. Como a Força Pública não aceita negros, ele atua no Corpo de Bombeiros. A Frente Negra apelou a Getulio e conseguiu que a Guarda Civil abrisse vagas para os "homens de cor". Mas o interventor Pedro de Toledo mandou uma carta secreta para o comandante da Força Pública, ordenando que não aceitasse em seus quadros nem pretos e nem mendigos.

Quando a Legião Negra foi criada, não tinha um militar negro para assumir o comando. Como precisava de um assistente negro para ser seu interlocutor, o major Gastão Goulart escolheu o bombeiro Arlindo Ribeiro. Um artigo de *A Gazeta* o exalta e o classifica de *"uma das vítimas do governo que São Paulo gloriosamente acudiu, é o ídolo dos negros. Militar disciplinado e disciplinador, impõe-se aos seus comandados..."*

9

Ser alguém ou ninguém?

O tempo ensinou Tião que São Paulo não é só a capital. Esse São Paulo orgulhoso, que ousou hastear a bandeira constitucionalista, é um rico e grande estado. Muita gente da capital faz questão de ignorar, mas a riqueza paulista não estava em sua sede administrativa. Estava no interior, nas fazendas.

É muito comum vermos paulistanos torcendo o nariz, com cara de nojo, para os moradores do interior:

— São uns caipiras. O que adianta ter dinheiro e não saber o que fazer com ele? Toda a cultura está aqui. Essa é a nossa verdadeira riqueza. A cultura e o poder. Aqui é a sede do governo. Nós governamos!

Em sua reflexão, o velho percebe que "muitos só se sentem alguém se transformarem os outros em ninguém". Por isso, sempre ri dessa gente:

— Paulistano sempre foi metido a besta. Acho que São Paulo queria mesmo se separar do resto do Brasil, apesar de dizerem que não. E olha! Mesmo tendo nascido na Bahia, graças a dona Berenice, Miro adquiriu todos os hábitos de um típico paulistano.

Paulistano... só conhecendo a força dessa palavra para entender a história desse ídolo de Tião. Um líder visceral, mesmo antes de envergar a farda da Legião. Sempre empertigado em ternos de casimira inglesa, camisas francesas, gravatas italianas, sapatos feitos à mão pelos mesmos profissionais que atendiam à elite paulistana. Com seu inseparável amigo Neo, frequentava cafés, teatros, casas de chá e outros espaços chiques das ruas do centro da cidade.

Seu primeiro sonho, passado o *frisson* pela arquitetura, foi tornar-se um advogado.

— Adoro leis e as garantias que elas nos dão. Quero ser um promotor, um juiz, um desembargador.

Passou a frequentar o Ponto Chic, no Largo do Paissandu, restaurante fundado em 1922 pelo italiano Odílio Cecchini, diretor da Sociedade Esportiva Palestra Itália[17], no térreo de um prédio de três andares. Era reduto de intelectuais — alguns dos quais, naquele mesmo ano, fizeram a Semana da Arte Moderna —, boêmios e estudantes da Faculdade de Direito, do Largo São Francisco.

A maioria dos estudantes estava muito mais interessada nas "francesas" de Madame Fifi, assíduas frequentadoras da casa, nas peruadas e nos penduras. Leis, códigos, processos e o elegante diploma com belíssimas letras góticas ficavam em segundo plano. Sentados às mesinhas com tampo de mármore, ou encostados ao balcão do mesmo material, teciam longas críticas ou glosas aos severos mestres, que exigiam uma quantidade sem-fim de trabalhos acadêmicos.

Em pouco tempo, os jovens e aristocráticos estudantes das Arcadas descobriram, naquele mulato, um devotado estudioso de leis e filosofia. Leitor contumaz, Miro devorava simultaneamente livros e mais livros, em português, francês, inglês ou italiano. Tanto talento, porém, não lhe garantia a sobrevivência. Dependendo dos poucos trocados bondosamente doados pela madrinha, solteirona e já idosa, ele resolveu ganhar um reforço orçamentário, elaborando monografias e dissertações para estudantes gazeteiros, alguns deles "filhos das melhores famílias do País".

---

17. Atual Sociedade Esportiva Palmeiras.

Miro sabia que, se pudesse, se destacaria no cenário da Justiça. Isso se, por algum motivo, o Conselho Acadêmico não o tivesse recusado em diversas ocasiões, uma vez que era desconhecido por todos. Tentativas não faltaram. Mas o Conselho sempre encontrava algo para impedi-lo de ingressar naquela que é uma das mais antigas e tradicionais instituições de ensino superior do Brasil.

Isso não o desanimava. Não via, na recusa dos doutores do Conselho são-franciscanos, nenhum sinal de preconceito, mas de punição pela sua posição política irredutível. Num tempo em que defender a República era símbolo de modernidade, Miro se manteve monarquista. E foi seu espírito monarquista que lhe abriu as portas para mais uma modesta fonte de renda: redigir artigos para jornais antirrepublicanos, para cujos leitores, que muito admiram seus tratados, passava-se por um filósofo alemão e assinava seus textos como "Hermann K". Quanto mais se intelectualizava e politizava, mais Miro rejeitava as modernas teorias políticas e econômicas de seu tempo. Para ele, Dom Pedro II havia sido verdadeiramente o grande "pai da Nação, martirizado pela República". Considerava a Princesa Isabel "uma santa, justamente reconhecida e recompensada pela rosa de ouro papal".

Depois de sair da casa da madrinha, fez questão de pregar, com muito orgulho, na parede de seu quarto, numa pensão na Rua do Triumpho, uma página de jornal, exibindo a imagem de seu tio-avô, José do Patrocínio, ajoelhado no chão, beijando a mão da Princesa Redentora. Após a Abolição, Patrocínio criou a Guarda Negra, que se compunha de capoeiristas e até alguns marginais, para defender a família real. Mas o sobrinho-neto do famoso abolicionista retirou aquela página da parede e a picou em mil pedaços no dia em que teve a certeza da contradição do tio-avô, que declarou ter se arrependido de criar essa guarda porque seus integrantes praticavam uma série de desmandos e até crimes, e revelou-se um republicano convicto.

Sem conseguir emprego em algum escritório, ou para dar aulas, aceitou trabalhar como enfermeiro na Santa Casa de Misericórdia. Para a população mais simples, médico ou enfermeiro, não fazia a menor diferença: enfermeiro era doutor. Assim surgiu o doutor Miro Patrocínio, cuja dedicação à profissão não era intensa, porque lhe tomava tempo demais do que mais gostava na vida, que era escrever.

Mesmo sem direito ao uso desse "doutor", Miro se sentiu seduzido por ele. Matou o velho "Hermann K" e passou a assinar seus artigos, cada vez mais frequentes e corrosivos, como Dr. Miro Patrocínio. Iconoclasta, não poupava ninguém, em se tratando de republicanos: nem a velha, nem a emergente República Nova. Ataca, com a mesma ferocidade, oligarcas e tenentistas. Não se surpreendeu na manhã em que foi acordado pelo alarido da polícia política, arrebentando a porta da pensão em que residia. Sinhá Clotilde, a dona da pensão, não queria se meter em confusão. Por isso, não titubeou em apontar o quarto do "doutor", no fim do corredor.

Porta arrombada, quarto vazio, janela escancarada e todos os pertences de Miro abandonados. Na parede, a marca de um retângulo mais claro indicava que algo foi retirado dali. Os agentes da repressão pensaram que ele arrancara algo comprometedor. Talvez um mapa que indicasse a localização de células subversivas. E Miro entrou na lista de procurados da polícia de Getulio Vargas.

Ele teve tempo apenas de apanhar seu livro de cabeceira, uma caixa com material para primeiros socorros e o pouco dinheiro que estava no fundo da gaveta, com o qual comprou uma pequena bolsa de viagem e algumas peças de roupa. Desnorteado durante a fuga, escondendo-se entre becos e sobras, junto aos muros da ferrovia, evitando a luz dos lampiões, o altivo Miro sentiu-se um ninguém, uma nulidade, menos que uma barata, prestes a ser esmagada, pela grossa sola de uma bota republicana. "Ufa! Consegui escapar!", pensou, ao aguardar sua vez na fila da bilheteria da Estação da Luz. Olhou de um lado e do outro, preocupado com a perseguição policial. Cada pessoa que ele avistava poderia ser um agente. Paranoia total. Estava disposto a comprar passagem para qualquer lugar.

— Até onde vai o próximo trem?

— Até Campinas — responde, enfadada, a bilheteira.

— Só até Campinas?

— Só. De lá pode fazer baldeação para outras estações. Pode ir para Minas Gerais, Goiás, Mato Grosso. E, de baldeação em baldeação, pode chegar até o Norte do país. O senhor é quem sabe pra onde quer ir.

— Me dê uma passagem! — diz, ao ver que está irritando as demais pessoas da fila e que o trem já se aproxima da plataforma.

Só depois que o trem partiu, Miro respirou aliviado. Minutos depois, já dormia profundamente, por causa do cansaço e embalado pelo sacolejo ritmado. Em pouco tempo, o apito da Maria Fumaça era um som distante, quase imperceptível, em meio a um sonho conturbado e repleto fugas e situações de muita adrenalina.

Uma voz e alguns trancos o arrancaram do reino dos sonhos e o trouxeram de volta ao planeta Terra. Assustado, se preparou para a prisão. Mas era apenas o chefe do trem, avisando que já estavam em Campinas.

Atordoado, pegou a bolsa e desceu à plataforma. Comprou nova passagem e embarcou num trem que partiria, pouco depois, para a divisa de Minas Gerais. O vagão de segunda estava lotado. Restava apenas um assento, num banco virado de frente para outro.

Sentado à sua frente, o homem de boné de lã, com abas cobrindo as orelhas, capotão preto sobre o terno azul-marinho, longos bigodes e óculos de lentes grossa, não lhe tirava os olhos. Parecia tentar reconhecê-lo. O olhar fixo, sob as volumosas sobrancelhas, deixava Miro constrangido e totalmente incomodado. O enfermeiro se esforçou na tentativa de lembrar se já havia visto aquele rosto em algum lugar. Não havia. Tinha certeza. Seria um dos agentes que o teria seguido até ali? Suas mãos estavam úmidas e a boca, seca.

De repente, do nada, o homem tirou a expressão sisuda da face e abriu um sorriso, estendendo-lhe a mão:

— Como vai, senhor? Me chamo Salim, Salim Engelsdorff, caixeiro viajante!

Um profundo alívio foi tudo o que o fugitivo sentiu, naquele momento:

— Prazer, Teodomiro... Miro, enfermeiro!

— Ah! Doutor Teodomiro!

— Doutor!? — admirou-se Miro.

— Sim. Não é assim que chamam o senhor?

— Como sabe que me chamam de doutor?

— Viajo por esse Brasil afora há mais de 20 anos. Conheço bem o costume dos brasileiros. Se o senhor ajuda a curar dor de barriga, enxaqueca, espinhela caída, olho de peixe ou doença venérea... é doutor.

Miro riu pela primeira vez, desde que teve de deixar às pressas o quartinho da pensão. O sotaque do caixeiro e a mostra de seu conhecimento sobre o comportamento popular em nosso país foram, de fato, divertidos para ele. Vasculhou na mente seu conhecimento de idiomas e encontrou, na língua alemã, uma interpretação para o nome Engelsdorff: *Engels* se traduz por anjos e *Dorff*, por aldeia. Aldeia dos anjos ou anjos da aldeia.

— Alemão, senhor Salim?

— Não. Polonês. Judeu polonês, mas as pessoas preferem me chamar de Turco. Cansei de corrigir. Hoje nem ligo mais para isso! Quero apenas que comprem minhas mercadorias.

Ambos riram e conversaram animados sobre vários assuntos. Miro até já se esqueceu de que estava fugindo e de que havia imaginado tratar-se de um agente da polícia política republicana.

— Afinal, doutor Miro, qual o seu destino?

— Para ser honesto, senhor Salim, não tenho destino, não. Penso em uma pequena cidade do interior, onde eu possa encontrar um trabalho.

Explicou-lhe que, de preferência, seu futuro emprego seria em algum hospital ou posto de saúde.

— Chi... Então vai ficar desempregado. Nesse interior de meu Deus, hospital é raridade. Não há nem mesmo postos de saúde ou ambulatórios. A maioria das cidades é carente de tudo.

Os poucos trocados que Miro recebeu da madrinha na semana anterior não davam para se viver por muito tempo. Havia também o dinheiro que recebeu dos trabalhos para estudantes e do jornal, mas ele precisava se estabelecer em algum lugar. Vida de fugitivo é complicada. Como não deixar rastros, pegadas? Vida de caça, sob a sombra eterna do caçador.

Miro temeu que sua fisionomia o tivesse denunciado a seu interlocutor. Sentiu que tinha de dar alguma explicação, pela longa pausa na conversa.

— O pior é que nem sei quando poderei voltar. As coisas, na capital, andam meio complicadas...

— Hum... entendo! Nos dias de hoje são poucas as certezas que temos. Não é só aqui, não! Em minha terra também não se sabe o que esperar do futuro. Na verdade, nesse momento, em nenhum lugar do mundo, não acha?

Miro sentiu que aquele judeu polonês sabia bem do que estava falando. E, no mínimo, suspeitou de sua situação. Por isso, preferiu calar-se. Sagaz, o judeu Engelsdorff, calejado em situações de perseguições e fuga, desde há mais de 20 anos, em sua própria terra, Varsóvia, mudou de assunto:

— Veja! Já estamos chegando em Marilândia Paulista[18]. Precisamos descer. De lá, faz-se baldeação para Minas ou para outras regiões do estado e até mesmo para o Mato Grosso. Mas por que não fica um tempo nessa cidade pra ver no que pode dar?

— Marilândia Paulista? Tem algum hospital?

— Nenhum. É apenas uma pequena cidade de menos de 5 mil habitantes e a mais de 100 quilômetros de qualquer cidade considerada média.

— E que diabos vou fazer lá?

— Qualquer coisa. Não têm nada. Por isso é excelente mercado para mim e ótimo para você, que é um doutor. Pode ser o primeiro doutor da localidade.

Antes de Miro pensar num argumento para não aceitar a ideia, o chefe do trem passou berrando:

— Próxima parada, Marilândia Paulista! Todos devem descer. Entroncamento ferroviário para o Norte e o Noroeste! Próxima parada...

---

18. Marilândia Paulista é uma cidade ficcional, pensada pelo autor, no interior do estado de São Paulo. Um entroncamento ferroviário próximo à divisa com o sudoeste de Minas Gerais.

— Venha logo, doutor Miro, me ajude a descarregar estas malas e meu baú.

— Quatro malas e um baú! Como consegue viajar com tanta bagagem?

— E por que acha que sempre faço amigos durante minhas viagens? — indagou o caixeiro rindo, arrastando o baú e duas malas, enquanto o novo amigo levava o restante.

Na plataforma, o angustiado Miro olhou em volta e se perguntou se seu futuro estaria mesmo ali, naquela minúscula cidade. Salim desceu alguns degraus e gritou:

— Vamos, doutor! Aquele chofer vai nos levar à Hospedaria Paraíso. Deixe para pensar na vida depois de tomar um banho e um bom prato de sopa de dona Margarida.

Seguindo o caixeiro, o enfermeiro concluiu:

— É. Talvez aqui eu possa voltar a ser alguém.

10

Em terra de cego...

O Chevrolet preto percorre as centenas de metros que separam a estação da Hospedaria Paraíso. Com seu sotaque interiorano, o chofer fala o tempo todo com o "Turco" — o caixeiro-viajante. Nem presta atenção ao acompanhante de Salim.

Para esse velho profissional do volante, que se julga capaz de avaliar as pessoas, ao primeiro olhar, Miro deve ser um ajudante que o caixeiro arranjou. Afinal, pretos ele conhece muitos na cidade, mas nenhum que tenha alugado seu carro ou se hospedado na Paraíso.

Já na hospedaria, feitas as apresentações, assim que a proprietária, dona Margarida, ouviu o nome doutor Teodomiro, abriu largo um sorriso, substituindo o olhar de estranhamento que havia lançado ao recém-chegado. O Turco é seu velho conhecido. Sempre que vem a Marilândia Paulista, fica hospedado ali e também lhe traz um mimo: ora um perfume, ora um lenço de seda, adornos e presilhas de osso para seus longos cabelos, um xale, uma peça de renda, um corte de tecido.

Mas o outro moço, não o conhece e sempre é bom ficar com um pé atrás. Agora, porém, já sabe que é um doutor e, mesmo antes de mostrar-lhe o quarto, já inicia uma consulta.

— É uma dorzinha ardida que sobe por aqui, passa para este lado e, quando percebo, já...

Para Miro isso não é novidade. Mesmo na capital, volta e meia se aproximam dele imaginando que o enfermeiro tem solução para todos os males. E pode até ter. Na maioria das vezes, é hipocondria ou um ligeiro mal-estar.

Ele apanha na caixinha de primeiros socorros um frasco com óleo de cânfora, pede para amornar. Depois, faz uma massagem e dá-lhe um analgésico, com um chá de uma folha não tóxica.

— Se amanhã continuar a doer, faça uma compressa de água quente e alterne com água gelada.

Essas medidas geralmente trazem bons resultados. Fácil, fácil o doutor Teodomiro conquistou a dona da hospedaria. Mal tinha acomodado seus poucos pertences na cômoda do quarto arejado, o primeiro do corredor, e quase toda Marilândia Paulista já sabia da chegada à cidade de um "doutor dos bons":

— Siá Margarida tomô só um comprimido a dor sumiu...

— Num havera que ele botô os oio nela e já sabia tudo o que ela sentia?

— Cumadi Horteça tava lá e viu: a muié num precisô dizê nadica. Ele botô as mão direto onde duía...

— Devoto de São Lázo, cura até doença ruim...

— O doutô incostô a ponta do dedo no lugá que doía e ela sentiu a dor saíno pelo dedo dele...

— Deu pra ela um chá porreta: sabuguero, losna, mé e pariparoba, depois...

— Diz até que é meio feiticeiro, sei não...

— Bonitão ele é...

— Bota bonitão nisso...

— Amigo do Turco... diz que, um dia, ele passo mar na viage e...

— Leva esse doutô pra todo lugar, aonde vai...

Não foi à toa que, quando saiu, à tardinha, para dar algumas voltas e conhecer a cidade, todos o cumprimentavam com sorriso. Teodomiro se sentiu bem-vindo. Ali sim poderia recomeçar sua vida e ser o homem respeitável que sempre sonhou. Passando pela única praça, em frente à igreja matriz, avista Salim sentado a uma mesinha de calçada, à porta de um barzinho, tomando cerveja.

— Se aproxime, doutor. Vamos admirar o fim da tarde. E dar um fim nessa cerveja.

— Não, amigo, não bebo álcool. Nem fumo.

— Chi! Não sei, não. Só falta o doutor dizer que também não gosta de mulher...

— Não. Assim também não, seu Salim. Claro que gosto. Mas sou homem respeitador, antes de tudo.

— Hum! Esses são os mais perigosos. Então tome qualquer outra coisa.

— Aceito um chocolate quente, pois o sol já despenca atrás da serra e se prenuncia uma noite fria.

— Leonel, um chocolate aqui pro doutor.

Com a mesma calma da brisa que sopra, o dono do bar coloca o leite para ferver. Miro sente que seu chocolate só chegará depois de posto o sol. Por algum tempo ambos conversam amenidades, até que o caixeiro diz que precisa dormir cedo. Conta que tem um caminhãozinho guardado no fundo da hospedaria. Precisa carregá-lo para sair de manhãzinha pelos vilarejos da região, para oferecer suas mercadorias.

A brisa do anoitecer convida Miro a permanecer um pouco mais. O amigo se despede e parte rumo à hospedaria. Só então o dono do bar traz um pequeno bule de louça, com o chocolate fumegante. Despeja o líquido numa xícara decorada com flores miúdas, azuladas. Enquanto sorve o chocolate que lhe aquece a alma, Miro faz um breve balanço de sua vida e projeta seu futuro.

Poucos minutos depois, vê aproximar-se um homem grandalhão, em terno riscado, gordo, de pele muito vermelha, respirando com certa dificuldade. Os botões da camisa prontos a estourar e o nó da gravata meio frouxo. Junto à mesa, o recém-chegado tira o chapéu, estende-se a mão e fala com sotaque italiano:

— Boa tarde! O senhor é o doutor que está se mudando para Marilândia Paulista, não é?

Miro sorri. Suspira, antes de dar a resposta:

— Sou e... não sou. Na verdade, sou um enfermeiro e talvez esteja de passagem.

— E de passagem por quê? Não gostou da cidade? Alguém lhe ofendeu? Me diga quem, que eu mando punir.

— Não. Nada disso — responde Miro sorrindo.

— Pode dizer! Não sou o prefeito, mas ele é gente minha. Faz o que eu mando.

— Entendo. Mas eu venho da capital. Quero iniciar vida nova e mais saudável. Só não decidi onde, nem como.

— Ah! Agora, sim, estamos nos entendendo. Seja bem-vindo! Muito prazer! Sou o comendador Domenico Vamparazzo, para servi-lo.

— Muito prazer, Teodomiro!

— Teodomiro de quê?

— Teodomiro Benedicto Patrocínio da Silva.

— Hum... Patrocínio... Um cidadão de boa cepa! — senta-se e começa a tagarelar. — Sou fazendeiro. Cheguei moço da Itália, trabalhei feito camelo e enriquei. Comprei muita terra por aqui e fui eleito prefeito três vezes. Não quis concorrer pela quarta vez e, então, elegi o meu vice, Rosenildo Peixoto, que era o delegado de polícia. Hoje, só cuido das minhas fazendas e, como ex-prefeito, dou meus pitacos na administração de Marilândia Paulista, cidade pequena, mas acolhedora.

— Sim, já percebi. Bastante acolhedora.

Desfiando uma série de expressões idiomáticas italianas, o homem de mãos enormes e calejadas segura a mão delicada do enfermeiro, conservada pela prática, apenas, de trabalhos leves. Abre o sorriso e comenta:

— Doutor Teodomiro Benedicto Patrocínio da Silva... Sua fama antecedeu sua chegada... — ri desbragadamente.

— Minha fama? Que fama é essa?

— Não se fala em outra coisa, na cidade. Que o senhor é um doutor dos bons.

— Eu? Deve haver algum engano.

— Engano nenhum. O senhor mesmo.

— E quem pode ter falado alguma coisa sobre mim? Ninguém ainda me conhece!

— Marilândia Paulista é um cocozinho de pomba, doutor. O senhor espirra aqui e gritam saúde, lá nas barrancas do Rio Tapeti, a hora e meia de cavalo. É o trem chegar e todos já sabem quem veio, de onde e quem vai partir, pra onde. Todos já comentam a maravilha de tratamento que o senhor usou para curar a Margarida.

— Ah! Então foi isso? Nada de especial eu só...

— Não precisa me contar os detalhes, pois eu não entendo nada de medicina, mesmo. Aliás, aqui em Marilândia Paulista, ninguém entende. Quer dizer ninguém entendia, até hoje. Com a sua chegada...

— Nossa! O senhor está me superestimando, não?

— Não quero pressionar o senhor. Fique à vontade! Descanse! Conheça melhor a cidade! Enfermeiro, não é? Tem penicilina na sua bagagem?

— Não. Tenho um pequeno estojo de primeiros socorros. Mas nenhum antibiótico.

— Não faz mal. Meu sobrinho é maquinista e mora lá em Belo Horizonte. Vou telefonar para ele. Depois de amanhã, quando o trem parar em nossa pequena estação, vai trazer um pacotão com penicilina, seringas, agulhas de injeção, algodão, gaze e uns medicamentos de limpar ferida. Eu mando um carro buscar o senhor e a gente se encontra lá no Barreiro, na zona do meretrício. Tem um bocado de mulher precisando de uma carga de antibióticos e de uma limpeza, que o senhor conhece bem. Lá a gente conversa mais um pouco.

O fazendeiro se despede, recoloca o chapéu na cabeça e caminha na mesma direção de onde veio. Miro entende que ele não queria só lhe dar as boas-vindas, mas também deve ter uma proposta a lhe fazer.

— Pagando bem, que mal tem? — pensa, ao saborear seu chocolate já morno. Ajeita a blusa de lãzinha, comprada às pressas numa loja perto da Estação da Luz, e parte de volta à hospedaria.

O dia seguinte amanheceu frio e Miro preferiu permanecer no quarto lendo seu livro de cabeceira, uma edição de bolso, em francês, de *Traité sur la tolérance* (Tratado sobre a tolerância), escrito em 1763, por Voltaire. Não larga essa obra por nada desse mundo. Por isso fez questão de apanhá-la quando teve de sair às pressas, para não cair na mão da polícia política.

É a sexta vez que lê essa obra e já acredita que os iluministas da Revolução Francesa, mesmo defendendo adoção da República, como sistema de governo, jamais abriram mão de prerrogativas exclusivas da monarquia.

— É. Não foi por acaso que o general Napoleão Bonaparte foi aclamado imperador!

E recomeça a ressonar, sentindo-se um Napoleão Bonaparte conquistando Marilândia Paulista.

11

O que é do homem o bicho não come

— E o destino reservou uma reviravolta na vida do meu amigo — reflete o velho Tião, analisando o quanto fatores alheios à própria vontade interferiram na ascensão de seu herói.

Tião nunca foi dado a grandes sonhos. Sempre acreditou que "mais alto o coqueiro, maior é o tombo do coco". Mas Miro, não. Esse nasceu para brilhar, atingir o topo, realizar grandes conquistas e deixar as pegadas de sua passagem, onde quer que fosse.

Sua ascensão vertiginosa, em Marilândia Paulista, teve início em 28 de julho de 1930. Chegou como um Napoleão, conquistador, "e terminou, um ano e alguns meses depois, quase na mesma posição em que Napoleão perdeu a guerra", conclui o irônico Tião. Não poderia perder a oportunidade de se divertir com a tragédia que se abateu sobre seu ídolo e reverteu profundamente seu destino.

Tião, ainda hoje, é do tipo que perde o amigo, mas não a piada. E a história de Miro, em Marilândia, foi uma epopeia que se transformou em anedota popular. Dois dias depois da chegada na pequena cidade, ele recebeu o pacote que o tal maquinista trouxe de Belo Horizonte. Menos de uma hora depois, já seguia com o chofer do Chevrolet preto até o bairro do Barreiro. O carro parou em frente a uma casa azul, em cuja varanda havia uma lâmpada vermelha acesa, apesar de ser dia claro. Ao longo daquela rua, outras casas também tinham acesa uma lâmpada vermelha.

Assim que o veículo parou em frente ao portão de grade de ferro pintado de amarelo vivo, o motorista fez o sinal da cruz. Olhou desconfiado o passageiro, que agradeceu e desceu, com sua maletinha, pensando ao entrar na casa:

— O prefeito disse pra deixar esse moço aqui e voltar pra buscar, às seis da tarde. Caramba! Como essa gente pode gostar tanto de mulher da vida fácil? Deus que me perdoe! Com tantas doenças por aí, eles vêm buscar mais na casa de mulher-dama!

Miro ri ao perceber, pela expressão de seu olhar, que o homem suspeita de que ele está ali para se divertir. Mas também nem adiantaria dar qualquer explicação. Quem desconfia estabelece seus próprios conceitos e juízos de valor. Qualquer argumento soa apenas como uma desculpa esfarrapada.

Toca a sineta dependurada no portão. De repente, abre-se a porta, por onde surge uma mulher loira, gorda e bem alta. Uma mulher madura, cujos traços demonstram ter sido uma jovem bonita e elegante. À estatura natural soma-se o altíssimo salto de um par de sapatos tão vermelhos quanto o penhoar que está usando. Ela abre os braços e um sorriso:

— Oh la la! Bienvenue, cher médecin! Je suis Brigitte, la mère des jeunes dames[19].

Vamparazzo, também sorridente, surge às costas da mulher, ordenando:

— Pare com isso, Brigitte! Fale em português. Todo mundo sabe que de francesa você só tem o nome adotado. O máximo a que você chegou da França foi trabalhar para uma cafetina parisiense, lá em Salvador.

Volta-se para o enfermeiro, todo solícito:

— Entre, doutor! As moças estão todas na sala aguardando sua chegada.

---

19. Ulalá! Bem-vindo, querido doutor! Eu sou Brigitte, a mãe das garotas.

— Je suis francesa, sim. Posso falar em português, mon amour. Mais non trés bien. Você le savez — insiste Brigitte, fazendo biquinho.

Miro sorri, pois acredita mais no fazendeiro que na cafetina. Coloca as luvas elásticas, entra numa alcova indicada pela anfitriã, segundo ela, a "suíte presidencial", e lá começa a examinar, uma a uma, as prostitutas. Pede à dona da casa que lhe traga uma espiriteira a álcool para esterilizar seus equipamentos de trabalho. Das quinze moças, apenas uma, aparentemente, não apresenta qualquer doença sexualmente transmissível. Inicia a profilaxia geral, aplica injeções, dá-lhes comprimidos e instruções.

Completado seu trabalho, chama Brigitte e o ex-prefeito. Diz-lhes que retornará, no dia seguinte e nos próximos, até que todas estejam completamente curadas. Começa a arrumar a maleta, com as sobras de penicilina, seringas e outros medicamentos e petrechos. Vamparazzo se aproxima dele. Brigitte percebe que o fazendeiro quer falar em particular com Miro e, por isso, se afasta.

— Então, está tudo ótimo, doutor! Nossa! Acabou muito antes do horário previsto — diz enquanto, chegando ainda mais perto, sussurra ao seu ouvido: Agora, se quiser, Brigitte poderá distraí-lo até a chegada do chofer. Garanto que ela é bem limpinha. Ao contrário das outras, essa sabe se cuidar.

— Claro que não... Me desculpe, mas não sou dado a esses costumes.

— Tudo bem! Entendo! Mas vai ter que se demorar aqui. Seu retorno só está previsto para as seis. Estamos muito longe da pensão para voltar a pé. E mal acabou de dar quatro horas. Só fiz essa proposta para o senhor não se entediar, sem ter o que fazer. Aliás, quero deixar claro que Brigitte é minha, mas estou disposto a ceder-lhe, digamos, temporariamente.

— Obrigado! Mas prefiro ficar aqui na varanda, nessa cadeira de balanço.

— Sem problema, doutor — e voltando-se para a porta, berra: — Brigitte! Ó Brigitte! Trate de providenciar um cafezinho, ou um suco de laranja, aqui, para o nosso salvador da pátria. Vou ficar aqui fora também. Vamos aproveitar a brisa da tarde para conversar.

Ambos sentam-se à varanda. Miro, na cadeira de balanço, e o ex-prefeito, num degrau da escada da entrada. Fumando charuto, observa o enfermeiro por algum tempo, em completo silêncio. Permanecem calados por quase meia hora, apenas saboreando, várias vezes, o café forte e quente que Brigitte mandou uma das garotas levar, num bule de fina porcelana chinesa, o açucareiro e as pequenas xícaras em "casca de ovo".

Despejar o café nas xicrinhas, adoçá-lo e sorvê-lo lentamente, entre sopros suaves, para não queimar a boca, é a maneira encontrada pelos dois para não iniciar um diálogo que poderá se tornar incômodo. O pensamento de Miro salta do presente para o passado, para seus prazeres e desprazeres. Volta àquele momento, ainda incomodado com a oferta de Vamparazzo. O italiano, com um sorriso amarelo, é quem acaba quebrando o silêncio:

— Dio Mio, il dottore è stato tutto confuso. Perdona me![20]

— Non è bene come questo. Solo non parto con las putanas.[21]

— Putana? Il Brigitte non è una prostituta. E sì, la signora. Ma dovrei confessare la mia sorpresa. Voi parla bene l'italiano, dottore![22]

— Solo un poco. Non un lotto...[23]

O ex-prefeito ri, muito feliz. O enfermeiro fala, sim, bastante bem o italiano. Provavelmente, seja uma pessoa encantada pela rica cultura de seu país de origem. Era só o que faltava para ele considerá-lo a pessoa ideal para seus planos.

— Está aí uma excelente notícia. O senhor é um homem cheio de surpresas. Sabe, doutor, eu gosto muito de Brigitte. E o convite para que o senhor ficasse com ela foi apenas um teste.

— Teste? Como assim?

---

20. Meu Deus, o doutor ficou todo confuso. Perdoe-me!

21. Não é bem essa a questão. Só que eu não saio com prostitutas.

22. Prostituta? Brigitte não é prostituta. Ela é a cafetina. Mas devo confessar-lhe a minha surpresa. Você fala bem o italiano, doutor!

23. Só um pouco. Não muito.

— Sim, para conhecê-lo melhor. É que tive uma ideia. Vou lhe fazer uma proposta, que o senhor pode recusar, se quiser. Vou montar-lhe uma clínica. Completa.

— Uma clínica?

— Sim. Na verdade, pequena, com um laboratório e os medicamentos indispensáveis. Terá espaço para atender os casos mais simples, que não precisem de médico. Vamos comprar uma ambulância que levará os pacientes em estado grave para o hospital em Dianópolis[24], há mais de 100 quilômetros daqui.

— O senhor está louco, comendador Domenico Vamparazzo?

— Não. Não estou. Vi como agiu hoje aqui. Pode não ter diploma, mas é o médico de pés descalços de que minha gente precisa. Eu tenho dinheiro e posso montar uma boa clínica. Sanaremos, assim, uma grave carência de Marilândia Paulista.

Faz uma pausa e começa a falar mais lentamente:

— Sabe, doutor? Eu amo esta cidade tanto quanto a minha Piemonte, na Itália, onde nasci. Vim pra cá na virada do século, entre os primeiros imigrantes que chegaram a este país. Mas não sou operário. Em minha terra, tinha vinhedos. Fazia um bom vinho. Aqui, vi que os fazendeiros enriquecem, mas entendem pouco de como se trata a terra. Terra é igual mulher. Precisa de muito carinho, muita atenção, dedicação. Aí, dá tudo que a gente plantar. Não é para ser explorada, exaurida. Eles não ligam para isso. Sugam tudo o há de bom na terra e a abandonam, seca. Acho que é assim que tratam suas mulheres também.

Miro fica impressionado com a comparação e a visão moderna daquele homem grosseiro. Está ansioso para saber aonde ele vai chegar. O italiano faz nova pausa e, depois, continua a explicação:

— Aproveitei a crise do café e comprei muitas terras a preço de banana. Foi assim que me tornei o homem mais poderoso na região. Como já disse, fui prefeito e ainda sou muito respeitado. Hoje me dedico só à minha fazenda e a esta cidade que me

---

24. Outro nome fictício de cidade interiorana, esta considerada média, com hospital, que estaria além da divisa do estado de Minas Gerais.

recebeu de braços abertos. Mas dinheiro e poder não significam felicidade. Há cinco anos, fiquei viúvo. Perdi minha amada Rosalina, com quem vivi quase minha vida inteira. Só de pensar nela, olha como fico, doutor! — funga. — Gente velha chora à toa!

Olhar lacrimoso. Baforadas do charuto. Um suspiro. E o confidente retoma a palavra:

— Agora, minha preocupação é que vou morrer e deixar desamparada minha única filha, Marieta de Santa Luccia — pigarreia para continuar, em seguida. — Então, doutor, estou disposto a fazer tudo isso para o senhor, com essa contrapartida...

— Contrapartida?!

— Sì. Per essere sposato amata figlia mia, Marieta.[25]

Um choque! Miro não sabe se sorri e pede desculpa, dizendo que não tem pretensão de casar-se com uma mulher que nem conhece, ou se mente, dizendo que já é casado na capital. Na verdade, jamais pensou em casar-se.

— Desculpe, comendador! Mas eu nem...

— Marieta é encantadora. Meiga, religiosa. É até meio sonsa! Mas é prendada. Vários pediram sua mão, mas eram aventureiros, de olho em minha fortuna. Não, ela merece coisa muito melhor. Merita un dottore. Un uomo pulito, serio. Merita il signore.[26]

O enfermeiro se sente constrangido. Não sabe como argumentar. Casar-se é uma proposta estranha, mas a negativa pode resultar no cancelamento da proposta tentadora do comendador: uma clínica sua, equipada. Quem sabe um dia venha a se tornar um médico de verdade. Além de ajudar muita gente, teria condições de construir ali um futuro respeitável.

Combinam que Miro irá jantar na casa do ex-prefeito, naquela noite mesmo.

— Marieta vai preparar um jantar tipicamente italiano. Olha o carro chegando. Seis horas em ponto. Te espero às nove. Cristino, passe às 15 pras nove na pensão, pegue o doutor e o leve à minha casa.

---

25. Sim. Casar-se com minha amada filha, Marieta.

26. Merece um doutor. Um homem limpo, sério. Merece o senhor.

— Sim, comendador Vamparazzo!

— As corridas do doutor são por minha conta.

— Sem problema, comendador!

Cristino nem parece o homem que, ao deixar Miro ali no prostíbulo, o tratou com visível menosprezo, como se fosse a pessoa mais devassa e desprezível do mundo. Ao descobrir que o "moço moreno" é muito amigo e respeitado por Domenico Vamparazzo, mudou, na hora, de opinião. Foi tagarelando dali até a pensão.

Miro, porém, não ouviu uma só palavra. Tem coisa muito mais importante para pensar e decidir. Mergulha em seus pensamentos por um tempo que se faz eternidade. Respeitando esse momento de Miro Patrocínio, vamos desviar nosso olhar e aproveitar para conhecer outro grande personagem da história dessa nossa Legião.

12

Simplesmente Maria e seu rádio

Muito distante da pacata Marilândia Paulista, lá na capital, um verdadeiro vulcão está prestes a entrar em erupção. Uma erupção extremamente emocionada, com trilha sonora e tudo mais. E, para isso, o rádio se encarrega de forjar heróis e mártires. Só não se sabe a que preço.

Lá longe, em seu distanciamento, Miro nem imagina que a Legião Negra de São Paulo também está forjando a ferro e fogo seus próprios heróis e mártires, que ocupam o imaginário popular. Alguns comandam pelotões, tropas ou companhias, em sangrentos combates. Salvam batalhões. Outros, sozinhos, vencem uma multidão de inimigos poderosos. Outros, ainda, dizimaram legiões inimigas inteiras. Pelos mártires, pranteia-se. Mas os heróis alimentam os sonhos e mexem com a autoestima da gente. Ao reconhecê-los nos reconhecemos também e recriamos nossa identidade.

Além do "baiano", seu grande herói, Tião conheceu também muita gente valente na Legião Negra. Muitas delas foram arrastadas às fileiras, seduzidas pelo rádio. Mas ninguém foi tão fascinada por esse veículo de comunicação e de entretenimento como aquela Maria, cozinheira e quituteira de mão cheia. Sua obsessão se fez sinônimo de felicidade. Dessas coisas que a gente persegue até a morte, se for preciso.

Na carteira de identidade: Maria José Barroso, paulista de Limeira, nascida em dezembro de 1901. Um dia, Giovana, uma loira quarentona, que trabalhava de governanta para uma família estrangeira, na capital, foi visitar a mãe naquela cidade do interior. Na volta, levou Maria, ainda adolescente, para trabalhar na cozinha de uma família da Rua Maranhão, em Higienópolis, a dois quarteirões da mansão em que exercia a governança.

Alguns meses depois, Maria já pilotava, como ninguém, a cozinha daquele casal aristocrático, cujo maior prazer é receber convidados.

— Maria, o jantar será servido às oito em ponto!

— Sim, senhora! O peru está quase assado. Vou colocar o arroz à grega na terrina. A salada completa já está pronta, do jeito que o doutor gosta. Tem também feijão gordo, com cubinhos de toucinho defumado, para quem quiser, purê de mandioquinha, e a sopa é de cambuquira com carne seca.

— Hum! O aroma está muito bom! — comenta a patroa, destampando panelas. — Maria, você preparou o antepasto que ordenei?

— Sim, senhora. Segui suas instruções, mas não sei se ficou bom. Nunca tinha feito antes.

— Tem que ficar. Carpaccio é a última palavra em antepasto nos jantares finos. É uma iguaria que os imigrantes italianos trouxeram ao país. Chique! Uma das poucas boas contribuições dessa gente.

— É. Mas é muito difícil fatiar carne crua tão fininho.

— Difícil, mas não impossível. Quase todas as cozinheiras de forno e fogão de minhas amigas fazem um carpaccio de primeira. Você não pode me envergonhar.

— Não, senhora. Não vou, não.

Cabisbaixa, a cozinheira promete a si própria esforçar-se mais da próxima vez. Não pode fazer a patroa passar vergonha e muito menos perder o emprego. Por isso, não mede esforços. Se depender dela, aquela importante família só terá motivos para se orgulhar.

— E o doce de abóbora?

— Quase no ponto... tá apurando.

— E os quindins?

— Já nas forminhas. Pode ficar tranquila, senhora. Às oito, tudo estará em ordem, na mesa.

— Espero... os Do Valle, o casal Pacheco Chaves e o monsenhor Martini já chegaram. Estão bebericando licor de bergamota. E tia Nicota deve chegar logo mais, com meus primos. Não se esqueça de levar a janta das crianças lá no quarto. Não quero que desçam, com as visitas aqui.

Antes de se retirar, a patroa apanha um cogumelo dentre os que boiam numa caçarola de molho e o lança na boca. Depois, passando ao lado de Maria, limpa os dedos no avental da cozinheira. À porta, volta-se e grita para a ajudante de cozinha:

— Quintiliana, sirva o antepasto.

— Pois não, senhora! — fala, quase inaudível, a ajudante.

— Ah, Maria, titia me pediu para emprestar você pra ela, por uns dias. É só até a Zulmira voltar do hospital. Teve filho ontem, mas acho que na semana vem, ou o mais tardar na outra, já estará de volta. Meu Deus, como vocês, negras, adoram parir filhos! Ainda bem que são fortes e em poucos dias já estão prontas para o trabalho.

A última frase é dita em alto e bom som, enquanto a madame caminha. Quando a termina, já está na sala de estar e recebe apoio de todos os presentes.

— São mesmo — confirma o monsenhor. — Tive uma arrumadeira negra que chegou a dezoito filhos. Mas menos de uma semana após cada parto, já estava lá, na casa paroquial. Durante os doze anos em que trabalhou pra mim, nunca me deixou na mão.

Imediatamente os demais também contam histórias similares, sempre afirmando a força e a dedicação das mulheres negras, contrapondo-se à indolência e à malandragem de seus companheiros.

Silêncio total na cozinha. Antes de atender à ordem, a ajudante resmunga:

— Sempre de nariz empinado e pisando na gente. E temos de aguentar gente como ela.

— É que, sem eles, como a gente vai viver? Onde vai trabalhar? No fundo, eles são gente boa, gostam de nós. Só não sabem disso.

Maria parece bastante conformada com sua situação. Mulher negra, solteira, vinda do interior e, há mais de dez anos, trabalhando naquela mansão. Chegou menina e já é uma mulher de 30 anos, humilde e submissa. A queixa de Quintiliana a incomoda. Acha que a ajudante deveria ser grata por poder trabalhar para uma família tão importante. Maria relembra a auxiliar que tem muitos patrões que até batem nos empregados, como se ainda fosse o tempo da escravidão.

Quando não está na cozinha, ela prefere ficar em seu quartinho, na edícula, no fundo do quintal da mansão, ouvindo o rádio. Ainda mais neste ano de 1932, em que o locutor sempre declama poemas de Guilherme de Almeida, com marchas militares de fundo musical, e os líderes constitucionalistas convocam todos para entrar em seu movimento.

Pelo rádio, fica sabendo que o Brasil vive sob o regime do golpe de estado tenentista de 23 de outubro de 1930. Golpe que derrubou a República Velha, que estava no poder por mais de quarenta anos, desde a proclamação da República, em 1889.

— Mas, se ficou tanto tempo, não será por que era uma coisa boa? — pensa a cozinheira.

Maria não tem certeza, mas acha que a família para a qual trabalha é favorável a essa tal República Velha. Ela e todas as outras que frequentam a mansão, os jantares, almoços, festas de debutantes, casamentos entre "nomões", que mais parecem "fusões patrimoniais".

— O doutor adora repetir essa coisa de fusões patrimoniais. Não sei o que é, mas tenho certeza de que faz os ricos ficarem mais ricos.

E são mesmo favoráveis à Velha República, invenção dos oligarcas que, desde os tempos das sesmarias, não poupam ações para acumular todos os bens possíveis nas próprias mãos e nas de seus pares. Ultimamente, volta e meia, Maria ouve o doutor e a madame, seus parentes e amigos criticando o que chamam de a "ditadura golpista de Getulio". Seu conservadorismo se apavora, ante o espírito reformista do tenentismo.

— Onde isso vai parar, meus Deus? — indagam, nas festas, madames quatrocentonas, de alva tez retesada, preocupadas em revezar nos lábios de carmim, ora um canapé de salmão, ora um de caviar, ora o fino cristal da taça de champanhe francês.

E no rádio de Maria, agora, uma banda marcial toca um dobrado. Ela pensa consigo quem será de verdade este Getulio Dornelles Vargas: um monstro ditador ou pai dos pobres? Quase numa conversa confidente, o locutor lhe esclarece que ele foi governador do Rio Grande do Sul e fez parte do tal movimento tenentista.

A mente da cozinheira, porém, quer saber mais:

— Por que será que ele depôs o presidente de São Paulo, Júlio Prestes, nomeando para ser interventor o tenente nordestino João Alberto Lins de Barros? Por que João Alberto só ficou interventor por 40 dias? E por que Getulio nomeou o jurista Laudo de Camargo, sucessor de João Alberto?

É um "por quê" atrás de outro. Um "por quê" sem-fim. Maria quer saber. Ela é ávida por conhecimento. O moço do rádio acabou de informá-la de que o próximo interventor deveria ser o general Miguel Costa, o comandante da Força Pública. "Por que será?" Antes da resposta, ela fica sabendo que Camargo foi substituído pelo coronel Manuel Rabelo. O rádio esclarece que esse tal Rabelo terá o mesmo destino: um adeus!

Na mente de Maria a pergunta que não quer calar: "Por que será que o rádio odeia tanto os interventores de São Paulo?"

13

Respeitar e honrar... Mas amar também?

Lá na paz encontrada em Marilândia Paulista, Miro não ouve rádio. Prefere o gramofone emprestado por dona Margarida e uma coleção de discos de ópera que pertenceu ao finado marido dela. Ao som do Rigoletto, de Giuseppe Verdi, banha-se, barbeia--se e veste-se, imaginando como será Marieta de Santa Luccia, a filha única do homem que se propõe a alicerçar seu futuro.

Domenico disse que ela é meiga, prendada, religiosa. Pode ser uma das jovens que viu na véspera, entrando na igreja, à tardinha, para a novena de São Valentim, o padroeiro da cidade. O santo que, em muitos países, dá nome ao Dia dos Namorados. Da janela de seu quarto, observou as jovens subindo a escadaria da igreja. Pareciam recatadas. Qual delas seria Marieta?

A buzina do Chevrolet tocou em frente da pensão, exatamente às 15 para as nove. Com o coração acelerado, ele novamente não ouve uma única palavra do que disse o agora tagarela motorista. Minutos depois estão à porta do grande casarão da chácara Santa Luccia, residência da família Vamparazzo.

O comendador esperava ansioso, na sala, aquele que já considerava seu futuro genro. Assim que a empregada, dona Romilda, abriu a porta, ele colocou o charuto no cinzeiro de cristal e levantou-se da poltrona de couro, com uma taça de vinho tinto na mão.

— Salve, meu caro doutor Teodomiro Benedicto Patrocínio da Silva! Salve, salve! Bem-vindo ao nosso humilde lar!

Olhando para os lados, admirando a suntuosidade da mansão, Miro sorri, ajeita a gravata borboleta que tentou comprar de Salim, mas que o Turco fez questão de presenteá-lo. Não usava uma dessas, desde os tempos em que sonhava com a advocacia. Apesar de rejeitar álcool, aceitou a taça de vinho oferecida. Domenico apanhou outra taça que já estava cheia, na mesinha de canto, e brindaram.

— À nossa, doutor! Um brinde a sua primeira visita a esta mansão que, com certeza, ainda será sua...

Desacostumado a bebidas alcoólicas, Miro toma o primeiro gole do vinho e se sente enrubescer ao ouvir a saudação do prefeito. Sua face esquenta e a pulsação acelera ainda mais.

— Sente-se, meu amigo! Quero informá-lo de que já mexi os pauzinhos. Na semana que vem, terão início as obras da primeira clínica médica de Marilândia Paulista.

— Já? Mas nós nem conversamos ainda...

— Não importa. Já decidi. Seja qual for a resposta à minha proposta, a clínica será sua. Espero, é claro, que seja positiva, mas estou preparado para tudo.

Ambos se calam. O silêncio grita aos ouvidos de Miro, completamente incomodado. Sem saber o que fazer, esvazia a taça de vinho. Domênico apressa-se em enchê-la novamente. Calados, ambos apenas trocam sorrisos. O vinho deve ser de primeira. Miro não sabe dizer. Não está acostumado e, a bem da verdade, nem sente mais o sabor. Depois de alguns suspiros esparsos e de sentir fogo saindo por seus poros, arrisca perguntar.

— E onde está... Hic! — um barulhento soluço escapa, apesar de sua vã tentativa em contê-lo.

— Ah, sim! Um momento. Dona Romilda, por favor, avise nossa Marieta que temos visita.

A frase funciona como uma senha. A empregada nem chega a deixar a sala e uma mulher surge à porta que dá para o corredor interno da mansão. É pelo menos dez anos mais velha que Miro, o que contrasta com o jovial vestido azul de renda, repleto de babados, colar de esmeralda, brincos de ouro, sobrancelhas feitas a lápis e um sorriso desenxabido. Tem seios intumescidos, quase infantis. A pele da face é muito alva e, pelas marcas, Miro conclui que, possivelmente na infância ou adolescência, foi acometida de bexiga[27], durante a grande epidemia no início do século. Excessivamente magra, vê-se sua ossatura marcando vários pontos do vestido. O cabelo, ralo, é compensado por um arranjo de tule negro, preso ao coque. O olhar melancólico está voltado ao tapete persa da sala. Miro se levanta e jura para si mesmo que a visão é causada pela embriaguês. E também, graças aos efeitos etílicos, vê a imagem da mulher se transformando, revelando uma bela jovem, como muitas que já ocuparam seus sonhos e devaneios.

O comendador os convida para sentarem-se à mesa, pois o jantar, "preparado pela própria Marieta", como ele faz questão de ressaltar várias vezes, já será servido. Espaguete à bolonhesa, porpetas, bracholas, berinjela em condimentos, salada de rúcula com tomate seco e bolotas de mozarela importada da Itália, gigantescas azeitonas pretas e verdes e fatias de ovos cozidos. E mais uma série de delícias que o entorpecimento alcoólico não permite a Miro registrar. Aromas de manjericão, orégano e azeite de oliva. Romilda serve o pai e o visitante, sempre atenta para não deixar, de nenhuma forma, vazios o prato e o copo do doutor.

Miro nem chega a saborear a farta sobremesa, de compotas e frutas de época, com queijo fresco preparado pela empregada. Quer apenas abrir o paletó, o colete e respirar o gelado ar noturno. Desafivela o cinto e senta-se numa cadeira de vime, à varanda, onde são servidos um licor digestivo de jenipapo e o cafezinho, quente e forte como ele gosta. Silenciosa, Marieta o acompanha sem levantar o olhar. O pai os deixa ali para se conhecerem melhor.

---

27. Nome popular dado à varíola, uma doença infecciosa de alto índice de contágio e de mortandade, causadora de surtos e epidemias no mundo todo. Dizimou, só no século XX, mais de 500 mil pessoas. Quem sobrevive à doença fica com marcas permanentes na pele.

— Então dona... Marieta... quer dizer que a senhora é dada aos dotes culinários... — a frase sai, aos soquinhos, sem que ele pense nas palavras.

— Sim — responde a moça, que esfrega, nervosamente, uma mão à outra, escondidas em fina luva de cetim trabalhado com crochê. Certamente mais um dos predicados da solteirona.

Miro quer falar mais alguma coisa, mas sabe que dificilmente surgirá um diálogo. Aí se surpreende com a iniciativa de Marieta.

— Adoro Olavo Bilac... Eu poderia declarar uma poesia para o senhor?

— Claro... Me agradam os versos parnasianos.

Lá dentro, Vamparazzo vibra ao perceber que o casal está entrando em entendimento. Acende mais um charuto e estala um tapa na bunda carnuda de Romilda, que dá um gritinho e finge reprová-lo, sem conseguir disfarçar o olhar brilhante e o sorriso malicioso. Está muito contente, ante a expectativa de um futuro feliz para a menina que viu nascer, ajudou a criar, viu amadurecer... até já havia perdido a esperança de vê-la casada.

Apesar da fragilidade, Marieta é expressiva e chega a comover seu ouvinte, a declamar o famoso soneto de Bilac: "Ora (direis) ouvir estrelas! Certo/ Perdeste o senso! E eu vos direi, no entanto/ [...] Amai para entendê-las:/ Pois só quem ama pode ter ouvido/ Capaz de ouvir e de entender estrelas".

Desse jantar até a grande festa de casamento não se passaram três meses. Foi na mesma data da inauguração da clínica que Marilândia Paulista tanto necessitava. Veio gente de longe para felicitar os noivos e participar da churrascada para a qual foram mortos dois bois e encomendadas toneladas de quitutes e galões das mais variadas bebidas.

E de muito mais longe, surgiu uma verdadeira multidão, na expectativa de conhecer o novo doutor e sua clínica, tomar injeção contra maleita, acabar com uma tosse crônica ou, ainda, para curar uma ferida de bala ou estilhaço de granada, que não fechava desde a revolução de 1924 e até antes.

A todos ele atendia com a maior atenção possível, muita paciência, sempre se valendo de um velho, grosso e manchado compêndio de enfermidades e suas curas, que um dia encontrou num sebo, próximo ao Largo dos Aflitos. Por alguns poucos mil réis tinha em mãos uma obra que era uma verdadeira Faculdade de Medicina. Trazia informações básicas sobre as anatomias masculina e a feminina e também as características da maioria das doenças mais comuns, os medicamentos, as dosagens e os cuidados para curá-las.

A cada dia se sentia mais seguro e mais digno do "doutor" que trazia à frente do nome. Acreditava que, com a prática, um dia poderia se tornar um médico de verdade. Mergulhou de cabeça no trabalho, nas pesquisas, num mundo distante de São Paulo, das desavenças ideológicas, da repressão.

Em seu longo penhoar amarelo-bebê, que a deixa ainda mais pálida, e pantufas da mesma cor, Marieta entra na cozinha, onde a mesa farta do café da manhã está posta e o marido já está terminando de fazer a primeira refeição.

— Bom dia, doutor Teodomiro!

— Miro, Marieta. Miro, sou teu marido.

A esposa sorri triste. Sente-se grata àquele homem que lhe deu a condição de mulher casada. O respeita, é fiel a ele na alegria e na tristeza, na saúde e na doença, todos os dias da vida, como prometeu no altar, durante aquela linda cerimônia, na matriz de São Valentim. Mas pode dizer que o ama? Acha que não.

Na verdade nem o conhece bem. O pai, sempre que pode, comenta o belo casamento que ela fez. Conta-lhe as glórias desse homem brilhante, os avanços que vem fazendo na clínica e as vantagens disso para a cidade. Mas Miro mesmo jamais lhe conta qualquer coisa. Às vezes parece nem notar sua presença e até olhar através dela. É extremamente comedido nas palavras que lhe dirige.

— Desculpe, doutor... quer dizer, Mi... Mi... ro!

— Que bom! Estamos progredindo... Então, como foi sua noite? Dormiu bem? — a pergunta é feita sem olhá-lo nos olhos, enquanto coloca na boca um pedaço grande de bolo de laranja e sorve uma xícara média de café com leite.

— Sim, senhor... desculpe!... sim... e... você?

— Ótimo! Foi bastante repousante. Um sono reparador. Bem, Marieta, como lhe expliquei ontem, vou ficar um tempo dormindo no quarto de hóspedes para não... incomodá-la com meu ronco.

— Não me importo com seu ronco — sussurra.

— Pois é — continua ele, ignorando seu sussurro. — Assim que puder, inicio um tratamento para me livrar desse mal. Quando estiver curado volto para o nosso — ri amarelo — ninho de amor. Agora, meu bem, preciso sair correndo. Já deve haver enorme fila de pacientes na clínica.

Apanha o chapéu e a valise, acena da porta e sai rapidamente. Marieta fica ali, à mesa, pensando que não sabe o que seria melhor: ser uma velha solteirona ou uma viúva de marido vivo. Ele nunca tem tempo para um carinho, uma atenção. Em vão, ela ordena a Romilda que cuide bem das coisas do doutor, que faça as iguarias que ele mais gosta, não deixe faltar flores na mesa de jantar e que as renove para o café da manhã. Ele nunca se dá conta disso.

Volta a sonhar com um príncipe encantado, montado em um cavalo branco, que viria arrebatá-la e levá-la para longe, viver em seu castelo, para sempre. Até ouve a frase com que sua história finalizaria: "... e foram felizes para sempre".

Para sempre... Parece que o único "para sempre" que o destino lhe reservou é do padecimento. E sua história de vida é pontilhada de padecimentos em níveis mais variáveis. Lembra, ainda em seu tempo de menina, a paixão pelo primo Claudinho e o desprezo que ele lhe deu. E o primeiro beijo, na adolescência, atrás da igreja, num dia de festa do padroeiro: "Júlio... isso mesmo, o nome dele era Júlio... bonito não era. Mas atencioso, carinhoso... trabalhava na oficina de carroças e charretes do Seu Idelfonso".

Quando o pai soube, ficou furioso. Não se lembra de outro momento em que tenha visto o comendador Vamparazzo tão transtornado, aos berros. Pensou que ele ia dar-lhe uma surra. Falou em golpe do baú, chamou o moço de delinquente e até que sabia de coisas do passado dele, numa cidade vizinha. Depois saiu, apanhou seu cavalo e partiu, dizendo que ia conversar com o rapaz. E Júlio desapareceu sem, ao menos, se despedir.

Aí, veio a doença. Quem disse que menina rica é imune a epidemia? Demorou, mas se curou. Só serviu para enfeá-la, lotar sua pele de buraquinhos, uns maiores outros menores. Decretar sua condenação ao isolamento. Anos depois, ainda sente que a olham, como se marca de varíola pegasse: "Será que o doutor Teodomiro pensa que pega? Será que é por isso que evita me tocar?"

Não tem resposta. Porém, tem a certeza de que, no que depender dela, jamais deixará de cumprir, fielmente, as promessas que fez diante daquele altar, na belíssima cerimônia: "Sim, será até que a morte nos separe".

14

Tempo de tensão: copo cheio, vida vazia

Não é à toa que Maria, a cozinheira daquela mansão em Higienópolis, na capital, anda tão tensa nesses dias. Desde o início do ano, está cada vez mais atônita. Há algumas semanas, a voz no rádio repetiu, várias vezes, dia após dia, que "o copo está cheio até boca. Falta uma gota para transbordar".

Essa gota pinga na noite do dia 23 de maio: manifestantes atacam a sede das organizações getulistas — o Partido Popular Paulista, chefiado por Miguel Costa, braço do Partido Liberal, e a Legião Revolucionária —, na esquina da Alameda Barão de Itapetininga com a Praça da República. Uma multidão, na maioria jovens, tenta invadir o prédio. Segue-se intensa troca de tiros. Dezenas de manifestantes são atingidos.

Dentre os baleados, morrem o fazendeiro de Sertãozinho Mário Martins de Almeida, de 32 anos; o auxiliar de cartório Euclydes Bueno Miragaia, de 21; o estudante Dráusio Marcondes de Sousa, de 14; e o comerciário Antônio Américo Camargo de Andrade, de 31. Seus corpos são içados por milhares de mãos sobre as cabeças da multidão, que se banhou com o sangue, horror e indignação.

A bandeira das 13 listras foi manchada com o sangue paulista. Em memória de Martins, Miragaia, Dráusio e Camargo foi criado o anacrônico MMDC, sigla-símbolo da revolução iminente. São Paulo, finalmente, conquistou os mártires de que necessitava, e a opinião pública não tinha mais dúvida: "Tomemos de armas e partamos para a luta", ribomba o rádio desde então.

Onze anos depois Guilherme de Almeida cantará: "[...] e houve uma noite de heroísmo/ que marcou o teu batismo/ de glória: e por isso é que/ tens quatro letras gravadas/ nas quatro estrelas douradas/ do topo MMDC!"[28] O escrevente juramentado Orlando de Oliveira Alvarenga, de 32 anos, que também foi alvejado gravemente, só morreu em agosto daquele ano. Já era tarde demais para ser incluído: a sigla já estava consolidada e a revolução, de vento em poupa.

O sangue de Maria pulsa intenso nas veias e sua mente é tomada por uma única palavra: revolução. É nisto que está pensando, quando vê a patroa caminhar pensativa pelo jardim da mansão. Desliga o rádio e sai quase correndo em direção à cozinha, quando a madame a chama:

— Maria! Vem cá! Vem caminhar comigo. Estou muito angustiada. Me dê seu braço, minha amiga.

Amiga? Surpresa total. A eminência de guerra provoca fenômenos estranhos que podem até solapar as estratificações sociais. Braços dados, ambas caminham pela alameda interna daquele casarão, que ocupa um quarteirão inteiro. A madame precisa falar, desabafar. Diz que deseja se apresentar à Junta de Alistamento. Conta-lhe que as mulheres paulistas estão se alistando para as atividades de apoio à revolução. Também estão disponibilizando seus empregados para servirem à causa revolucionária. Ela nem imagina que Maria conhece bem essa história.

Diz concordar com o "Doutor", seu marido, que lamenta serem poucos os realmente idealistas dentre os voluntários do Exército Constitucionalista. A crise mundial motivou a maioria dos alistamentos. O pequeno soldo militar representa uma fortuna,

---

28. Do poema "À santificada", de Guilherme de Almeida, de 1946, em homenagem à reconquista do direito de hastear a bandeira de São Paulo, após a proibição pela Carta Constitucional, de Getulio Vargas, em 1937.

frente à miséria e ao desemprego. Alistar-se e combater o "pai dos pobres" ou contrariar os patrões? Eis a dúvida dessa Maria, que, de manhã, foi alertada pelo rádio: *"Nem os conterrâneos de Vargas aguentam mais o descumprimento de suas primeiras promessas e seus acordos políticos. Vejam que os ministros gaúchos acabam de pedir demissão".*

Talvez a patroa nem saiba, mas Maria ouviu pelo rádio que um dos homens fortes da revolução, que está para estourar, é negro. Seu nome: coronel Palimércio de Rezende, que será o Chefe do Estado Maior da 2ª Divisão de Infantaria do Exército Constitucionalista. Ela desenhou na mente a imagem de Palimércio, um negro gaúcho, que sentou praça aos 16 anos, fez carreira brilhante e se tornou o homem de confiança do coronel Euclydes Figueiredo[29]. Anos depois, ao escrever seu livro de memórias, contando as façanhas de sua história militar, será a Palimércio que Figueiredo, então general, dedicará sua obra.

Ex-comandante das forças getulistas, o carioca Figueiredo negou-se a apoiar a revolução de 1930, que guindou seu antigo chefe ao cargo maior da nação, no chamado Governo Provisório. Dois anos depois, ao se reunir com os conspiradores paulistas Francisco Morato, Paulo de Morais Barros e Júlio de Mesquita, aceitou a missão de comandar a revolta de São Paulo.

Um carioca, o outro gaúcho, mas Maria se orgulha mesmo é de ser paulista. Principalmente depois de ouvir no rádio que só São Paulo conseguiu unir, "sob a mesma bandeira constitucionalista", os antigos inimigos viscerais: PRP (Partido Republicano Paulista), da oligarquia, e o PD (Partido Democrático), da burguesia industrial emergente. Formaram a Frente Única Paulista, que defendia a convocação imediata de eleições, a elaboração de uma nova constituição e, no mínimo, que o próximo interventor de São Paulo fosse um civil e, principalmente, paulista.

Já em março, cedendo à pressão, Vargas havia promulgado o novo código eleitoral, com o voto secreto obrigatório e o

---

29. Pai do general de Exército João Baptista de Oliveira Figueiredo, 30º presidente do Brasil — de 1979 a 1985 —, o último do período da ditadura militar.

reconhecimento do direito de voto para as mulheres; instituiu uma comissão para elaborar o anteprojeto da Constituição; e marcou eleições para 1933. Mas isso Maria não ficou sabendo, porque, o rádio, estrategicamente, não divulgou.

A mente de Maria é invadida pela imagem de um alemãozão fardado corpulento, montado em um enorme cavalo árabe. Nos ombros, uma fileira de estrelas douradas e o peito repleto de medalhas. Maria ouviu a patroa mencionar o general Bertoldo Klinger, comandante da Região Militar do Mato Grosso, que prometeu colocar à disposição do Exército Constitucionalista seus milhares de comandados e centenas de canhões.

O que Maria nem imagina é que o tal general Klinger é "um cotoquinho desse tamanho", pensa o velho Tião que viu uma foto dele num jornal. Baixinho, careca, de vasto bigode e óculos redondos. Inspirava os caricaturistas, na comparação do confronto de São Paulo e Getulio, com a história de David e Golias.

Depois que ouviu de Maria a promessa de que irá acompanhá-la, quando for se alistar, a patroa entra em casa para descansar. A cozinheira, porém, retorna a seu quartinho a tempo de ouvir pelo rádio o médico Adhemar Pereira de Barros berrar que Vargas estava "esmagando os direitos de um povo livre [...] e trazendo o sempre glorioso São Paulo debaixo das botas e do chicote do senhor!"

Como bom contador de histórias, o centenário Tião, 80 anos depois, também tece imagens, com base numa prodigiosa memória, forte auxílio da imaginação e de boa dose de ironia: afinal, seis anos após a revolução, Ademar seria nomeado, pelo mesmo Getulio, interventor de São Paulo, durante o Estado Novo; mais tarde, será eleito governador por duas gestões. "E ele era contra. Se fosse a favor, ia herdar o trono" — ri o velho.

Outro de quem o velho se lembra bem é o Coronel Figueiredo, famoso por ter combatido as revoltas do Contestado[30] e dos

30. Conflito armado envolvendo as forças militares — estaduais e federais — e a população cabocla, de outubro de 1912 a agosto de 1916, numa região, disputada pelos estados do Paraná e Santa Catarina, em que se cultivava erva-mate e explorava a madeira.

18 do Forte de Copacabana[31]. Ele foi preso, no Rio, ao negar-se a cumprir a ordem do Governo Provisório de prender seus amigos militares, por festejar o aniversário da primeira Constituição republicana, de 1891. "Para Getulio — declarou Figueiredo — militar é proibido de defender a Constituição e os direitos do povo".

Tião também se lembra do coronel Palimércio:

— Negrão porreta, com seu sotaque dos pampas, que visitou a Chácara do Carvalho e passou em revista as tropas da Legião Negra. Não. Ele não foi da Legião. Era o braço direito do lendário coronel Euclydes Figueiredo, de mil aventuras, prisões e contendas.

O velho e ácido Tião não deixa passar batido: — Grande Figueiredo! Pena que o filho dele, quando foi presidente da República, de 1979 a 1985, tinha problema no 'cheirador'. Preferia o cheiro do seu cavalo ao do povo. — Ri muito, tosse, ri de novo, engasga e tosse, sem parar.

---

31. A primeira revolta do movimento tenentista, durante a Velha República, no Rio de Janeiro, em 5 de julho de 1922.

15

"Quem passou pela vida em branca..."[32]

Não são só os quilômetros de distância entre Marilândia Paulista e a capital que separam Miro do efervescente Brasil de seu tempo. Muito antes da fuga, ele já parecia viver num planeta pessoal anticéptico, longe da contaminação social dos anos 1920 e 1930. Se deixou passar em brancas nuvens, sem fazer eco aos clamores políticos e intelectuais de sua época. "São coisas da Ré... Pública — comentava — sistema político que faz o Brasil andar cada vez mais em marcha à ré".

Nuvens escuras, de temporal, sobre Marilândia. Miro permanece no escritório, "trabalhando" numa garrafa de uísque, só para não ir para casa e ter de ficar a sós com a esposa. Covardia não querer encará-la frente a frente. Antigamente, negava-se ao álcool e hoje não abre mão dele. Entre um copo e outro, lembra-se dos posicionamentos tomados no passado. Em 1922, por exemplo, negou-se a acompanhar o amigo Neo ao Teatro Municipal de São Paulo, naquela noite em que foi lançado o manifesto do Movimento Modernista.

---

32. Do poema "Ilusões da vida", de Francisco Octaviano.

— São comunistas, Neo! Anarquistas culturais, baderneiros, como os gazeteiros das Arcadas. Malucos, empenham-se em desconstruir a erudição da rica e verdadeira cultura brasileira.

Miro apoiava o feroz ataque de Monteiro Lobato aos modernistas e também o admirava pelo artigo publicado na *Revista do Brasil*, em que declarou que *"para esta obra moderadora, organizadora, cristalizadora, ninguém é mais capaz do que Pedro II. Não há nenhuma forma de governo melhor do que sua monarquia"*. Pensa na República como *"a responsável por toda a mudança etnossocial que está aniquilando a Nação. Merece a pá de cal lançada em seu túmulo por um dos maiores republicanos, o senador e ministro Ruy Barbosa"*. Miro refere-se ao discurso de dezembro de 1914, no Senado Federal: *"De tanto ver triunfar as nulidades, de tanto ver prosperar a desonra, de tanto ver crescer a injustiça, de tanto ver agigantarem-se os poderes nas mãos dos maus, o homem chega a desanimar da virtude, a rir-se da honra, a ter vergonha de ser honesto"*.

Em 1924, ele se empolgou com Isidoro Dias Lopes, conclamando os paulistas à derrubada do presidente Arthur Bernardes. Mas, depois, leu num panfleto a verdadeira intenção dos revoltosos: "substituir os atuais poderes por forma e organização mais consentâneas com os interesses gerais e menos acessível aos abusos, sem substituir a forma republicana". Aí, preferiu ficar neutro: "São republicanos. Que se devorem uns aos outros".

Com relação aos negros, apenas exaltava o "ato heroico, solidário e de extrema generosidade de dona Isabel Cristina Leopoldina Augusta Miguela Gabriela Rafaela Gonzaga de Bragança e Bourbon", a Princesa Isabel. Mencionando a rosa papal e a gratidão de seu tio-avô, soltava uma de suas pérolas: "Se dependesse dos escravos, jamais aconteceria a Abolição. Era cômodo continuar morando nas senzalas, alimentados pelos senhores, que cuidavam de sua saúde, como caridosos cristãos e tinham a bondade de tratá-los como gente".

Miro jamais pensou nas desigualdades sociais, nem na crueldade da escravidão, ao transformar os escravizados em "coisa", moeda de troca para a obtenção de outros bens. Nem nas bárbaras punições e na morte por sonharem com a liberdade e em humanizar-se. Nos ufanistas livros escolares aprendera que os negros eram "preguiçosos, indolentes e conformados, ao contrário dos bravos povos indígenas, que não se deixaram escravizar". Longe dele se dar conta de que, por séculos, os negros foram a única mão de obra a construir a riqueza do país.

"O Brasil vive numa perfeita democracia racial", dizia ele, muito antes de esse conceito ser preconizado pelos estudos do antropólogo e sociólogo pernambucano Gilberto de Mello Freyre. Enquanto isso, os negros do pós-Abolição eram tema de ferozes embates entre políticos e intelectuais de tendências as mais diversas, no Brasil afora e fora dele. No Congresso, eram debatidas e até aprovadas leis eugênicas,[33] "profiláticas" — vociferava um parlamentar — "para impedir que essa nódoa social afro-baiana corrompa a pureza da nossa bela cultura sociorracial eurocêntrica".

Miro não ouviu, mas essas discussões não se davam apenas nos plenários do Senado, da Câmara Federal, das Assembleias Legislativas e nas Câmaras Municipais. Ao contrário, aconteciam no dia a dia, nas ruas, à luz do sol, em qualquer lugar em que houvesse descendentes dos escravizados. E mais acintosamente em cidades do interior.

Mesmo sem que ele notasse, até seu amigo Neo, que o chamava de "meu amigo moreno" e o convidava para acompanhá-lo a quase todos os lugares, sempre lhe dava uma desculpa para não levá-lo aos grandes bailes e jantares da *high society*, no Club Athletico Paulistano, no Jockey Club ou no Tênis Clube Paulista. Jamais diria ao amigo que esses não eram lugares para "pessoas de cor". Não queria magoá-lo, nem ofendê-lo.

Para que negros não se aproximassem dos locais frequentados por eles e suas famílias — em especial de suas filhas —, os poderosos se faziam "generosos", facilitando às comunidades negras a constituição e construção de seus próprios clubes e irmandades. Foi assim que surgiram entidades como o Clube Campos Elísios,

---

33. Leis inspiradas na eugenia — a teoria dos "bem-nascidos" —, cunhada pelo cientista Francis Galton, influenciado pelas obras do primo Charles Darwin, em defesa da seleção natural e no melhoramento genético de grupos humanos, física e mentalmente.

em São Paulo, o Renascença, no Rio, o 13 de Maio, em Piracicaba, o 28 de Setembro, em Jundiaí, o José do Patrocínio, em Campinas, e o Flor de Maio, em São Carlos, dentre centenas de outras entidades Brasil afora.

O baile seguia rigorosamente o modelo de diversão da classe dominante, porém, com uma música mais ritmada, mais sensual, mais divertida. Esse e os demais eventos sociais, como convescotes, competições de remo, voleibol, basquetebol, futebol, gincanas e outros, além de lazer, serviam para aproximar jovens negros e negras. Era o espaço de socialização e de lazer que, para muitos, se transformou também em campo de identidade e de conscientização. Nos clubes e demais sociedades, criaram-se publicações que constituem a chamada imprensa negra.

Para seus "beneméritos", tais entidades ajudavam a diminuir tanto os riscos de conflitos raciais quanto da tão temida e indesejada miscigenação. Volta e meia, os patronos brancos eram homenageados e exaltados com títulos como o de "amigo da raça". Mas nem imaginavam que, em muitas delas, também se discutiam políticas e estratégias para se dar aos filhos tudo o que os pais não puderam ter: educação formal de alto nível, melhor condição econômica e muita informação, pois "informação é poder".

Miro nunca esteve em nenhum clube desses.

— A mania dos negros de viverem em guetos tem uma única explicação: eles são racistas. Um racismo gerado pelo complexo de inferioridade. Se queixam de serem discriminados, mas não querem crescer e se integrar na sociedade. Ainda mais uma sociedade, como a nossa que, sempre de braços abertos, reconhece e gratifica aqueles que se esforçam, de verdade, para vencer. A maioria já nasceu derrotada e acomodada — diz.

Nem se lembra mais das recusas que o impediram de estudar e se diplomar na Faculdade de Direito. E, se recordasse, com certeza não se sentiria uma vítima de racismo, preconceito, discriminação. Afinal, ele não era negro. Era, assim, um... "moreninho" e a melanina que se acumulava em sua epiderme foi herdada da "heroica bisavó bugre apanhada a laço".

Foi exatamente isso que pensou, quando numa tarde ensolarada de outubro de 1931, Salim voltou a Marilândia Paulista e lhe entregou o primeiro número de um boletim, de quatro páginas mimeografadas, publicado pela Frente Negra Brasileira. O Turco acabara de chegar da capital. Trouxe-lhe algumas encomendas e se revelou empolgado com o movimento e os discursos de alguns intelectuais e líderes negros que conheceu.

— São Paulo está que é uma agitação só. Cada dia nasce uma organização, como essa. Achei que ia te interessar e, como vinha mesmo para cá, resolvi te trazer esse jornalzinho.

Enquanto o ajuda a retirar suas malas do trem, Miro agradece, mas torce o nariz, assim que lê o nome da entidade. Não quer magoar o amigo.

— Nossa, Salim! Cada vez você chega com mais mercadorias?!

— Tem que ser assim, amigo! A cada dia aumenta mais a freguesia e também a variedade de artigos a oferecer. Se bem que ando cansado. Poderia me estabelecer em algum lugar e me dedicar à família. Mas, quando penso no prazer que é correr por esse mundo afora, sinto que vai demorar um pouco para eu me fixar numa cidade.

Ambos já estão na porta da hospedaria Paraíso. No caminho, Miro aproveita para se livrar do tal boletim. Se tivesse lido, talvez mudasse de opinião, pois, no editorial impresso na primeira página, o boletim explicava que aquela entidade político-social, criada em 16 de setembro de 1931, tinha por objetivo: "a elevação moral, intelectual e profissional e a assistência, proteção e defesa social, jurídica e econômica da gente negra".

Era a palavra "negra" no nome da instituição o que o incomodava. Não fosse isso, provavelmente poderia até se tornar um militante dos mais ardorosos, uma vez que ele e o presidente frente-negrino, Arlindo Veiga dos Santos, tinham tanto em comum.

16.

"Às armas, cidadãos paulistas!"

Encontros, desencontros, acordos e desacordos. Um turbilhão toma conta da capital e é reproduzido pelo rádio que apregoa o sucesso da "campanha pela autonomia de São Paulo" e parabeniza as elites paulistas e a classe média, cuja pressão forçou os interventores a se demitirem: *"São Paulo não admite a tutela de ninguém. Nenhum 'estrangeiro' ou militar vai se prevalecer sobre a gente paulista. Viva São Paulo! Viva! Viva!"*

Enviado a São Paulo, por Vargas, na tentativa de aplacar os ânimos, o ministro da Fazenda, Oswaldo Aranha, é recebido com vaias no comício de 22 de maio, na Praça do Patriarca. Maria não estava lá, mas o moço do rádio contou tudo, tintim por tintim.

Em um comício, no dia seguinte, na Faculdade de Direito, moças da sociedade, em histeria, apanham revólveres, em suas bolsas, e disparam para o alto. Dali para o tiroteio na Praça da República e a morte dos quatro — MMDC — é questão de horas.

— Afinal, custa nomear um interventor paulista e civil, para agradar à Frente Única? É só isto que São Paulo exige! Não custa — pensa Maria, ao ouvir pelo rádio o discurso de Getulio Vargas anunciando que já tem um nome.

Ela cruza os dedos, torcendo para ser alguém do agrado de seus patrões. Cansou de ouvir insultos contra Getulio e contra todos os que, como ela, o veneram.

Em outra mansão da mesma rua, uma destacada personalidade também está atenta ao rádio. Promotor público, deputado, professor da Faculdade de Direito do Largo São Francisco e presidente do Partido Democrático, o doutor Francisco Antônio de Almeida Morato afrouxa o nó do cinto de seu *hobby* de chambre de seda, acomoda-se melhor na poltrona, num canto da sala, prende a respiração e se prepara para ouvir o anúncio do próprio nome.

A voz de Vargas faz uma pausa e, depois, anuncia o nome civil e paulista tirado da cartola: "o advogado e diplomata Pedro Manuel de Toledo". Um balde de água gelada despenca sobre os anseios de Morato e dos democratas. Ex-ministro da Agricultura e da Viação e Obras Públicas, durante o governo do general Hermes da Fonseca, Toledo acabara de chegar da Argentina, onde era embaixador, e era simpático apenas aos republicanos.

A decisão do ditador é uma demonstração de força e não de conciliação, já que a balança da Frente Única pesava para o lado do derrotado Francisco Morato. O porta-voz radiofônico dos contrariados declara: *"Enfim, um interventor paulista e civil, ligado à oligarquia [...] mas agora é tarde [...] a palavra de ordem é: 'derrubar a ditadura'. O poder deve ser devolvido aos seus verdadeiros donos, a elite paulista".*

Paulista, Maria é. Só não sabe bem o que é elite. Quando era babá, lá em Limeira, viajou com a antiga patroa para uma cidade, cujo nome não se lembra. Queria ir ao Baile da Primavera, no Clube Elite, mas foi avisada de que naquele local preto não podia entrar. Pode ser que nessa elite, preto não entre também. Mas, quando o locutor do rádio fala na Legião Negra, sempre afirma que ela é "a elite da população negra e dá seu sangue para defender São Paulo". Então, concluiu que preto também pode fazer parte da elite de São Paulo, mas para isso tem, obrigatoriamente, de ingressar na Legião.

Enaltecendo o "trabalho árduo" e o espírito de liderança do comandante militar da Legião Negra, capitão Gastão Goulart, César Ladeira sempre exalta também alguns de seus comandados negros, que ele afirma serem "personagens-chave da revolução".

Estimulada pelo rádio, Maria tece as imagens que dão concretude à eclosão da guerra civil: os coronéis Figueiredo e Palimércio chegam a São Paulo às nove da manhã do sábado, 9 de julho, e às 11h40 tomam o Quartel General da 2ª Região Militar, na Chácara do Carvalho, que se torna QG do Exército Revolucionário Constitucionalista

No mesmo dia, às 23h15, as rádios da cidade são invadidas por revoltosos civis e, a partir da zero hora do dia 10, é transmitida, em cadeia, a seguinte mensagem: *"De acordo com a Frente Única Paulista e com a unânime aspiração do povo de São Paulo e por determinação do general Isidoro Dias Lopes, o coronel Euclydes Figueiredo acaba de tomar de assalto o comando da 2ª Região Militar, tendo como Chefe do Estado Maior o coronel Palimércio de Rezende. A oficialidade da Região assistiu, incorporada no QG, à posse do coronel, nada havendo ocorrido de anormal. Reina em toda a cidade intenso júbilo e o povo se dirige, em massa, aos quartéis pedindo armas para a defesa de São Paulo".*

As ruas da capital amanheceram o dia 10 de julho ocupadas por militares, sob o comando dos coronéis Euclydes Figueiredo e Bertoldo Klinger, que não trouxe do Mato Grosso os batalhões, nem os canhões prometidos. Apenas uns poucos oficiais que lhe são fiéis. Mas São Paulo não pode se dar ao luxo de abrir mão de um bom estrategista como ele.

Ambos, porém, estão sob as ordens do legendário general Isidoro Dias Lopes, ex-comandante da 2ª Região Militar, famoso tanto por liderar a revolução de 1924, que fez o governador Carlos de Campos fugir para o interior, quanto por integrar a Coluna Prestes. Lopes, Figueiredo e Klinger dão aos revolucionários total confiança na vitória. O rádio anuncia que a Força Pública, agora, faz parte do Exército Revolucionário e que seu comandante, o major Miguel Costa, foi preso. Era outro que sonhava ser nomeado interventor e, ao contrário, perdeu o cargo e foi reformado. É um recado explícito aos "desmandos" de Vargas, que o nomeou para aquele cargo.

A "guerra à tirania" é decretada pela Junta Revolucionária, cujo comandante supremo é ninguém menos que Francisco Morato, aquele que aguardou ansioso a nomeação a interventor.

Rapidinho, também aderiu à Junta o interventor escolhido, Pedro de Toledo.

Em frente à Estação do Norte, no Brás, um repentista paraibano canta: "Na hora do furacão, todo mundo dá a mão, não tem Zé nem tem João". Todos festejam a prisão de Miguel Costa. O rádio denuncia que, como o ex-interventor João Alberto, ele "se arvorava de ser donatário de São Paulo". E lá na estação, o cantador não perde tempo: "Eu morro de pena e de dó, vendo o nosso donatário no fundo do xilindró". Risada geral e aclamação, com aplausos da multidão.

Do Palácio dos Campos Elíseos chega a notícia: "Ao receber um telefonema de Getulio, indagando sobre o que está acontecendo, Pedro de Toledo o informa de que renuncia ao cargo de interventor". A notícia se espalha rápido, feito rastilho de pólvora e Toledo é aclamado o governador civil da Revolução e carregado às costas de um mar de gente, que se estende do Largo de Santa Ifigênia à Praça da Sé.

17

Não há mal que sempre dure, nem...

Na paz de Marilândia Paulista, Miro está em casa. Um cidadão cada vez mais respeitado. Já contratou duas auxiliares de enfermagem e um motorista para a ambulância, que também ajuda internamente na clínica. Seu título de doutor jamais foi questionado por ninguém.

O dinheiro é pouco. Mas não se preocupa, pois tem o sogro para cuidar de todas as despesas. Esse, por sua vez, é seu fã ardoroso. Nos fins de semana e à tardinha, quando Miro sai mais cedo da clínica, ambos passam horas conversando em italiano.

O genro já se sente quase um cidadão piemontês, quer na fala, na postura, quer nos valores culturais. Não dispensa um chianti, para abrir o apetite, uma sardela, um gorgonzola. Até arrisca uns passos da tarantela. Sente conhecer, pessoalmente, cada uma das pessoas citadas nos milhares de histórias contadas por Vamparazzo.

O pai da esposa — seu quase pai — confessa estar cansado da vida pública, mas pode voltar a se candidatar à prefeitura e o convida para ser seu vice. Ou, quem sabe, ele próprio ser o candidato a prefeito.

— Sem mim, essa cidade seria apenas um vilarejo. Admito que também ela deu-me muito, mas retribui cada tostão ganho aqui — afirma o sogro.

Carinho em casa, atenção na rua. Quer *status* melhor? Todos o cumprimentam, ao encontrá-lo. Alguns o convidam a ser padrinho de seus filhos, para integrar a comissão organizadora da festa do padroeiro, para ingressar na sociedade dos líderes justos, sábios e caridosos, tênue e opaca cópia de uma loja maçônica. A lua de mel já dura mais de ano.

Ultimamente, porém, ele sente algo estranho no ar, quando passa pelas ruas, a caminho da clínica, ou na volta. Tem certeza de que pessoas sussurram. E sussurram mesmo. Há quem comente que ele deu o golpe do baú. Algumas mulheres juram que a filha do prefeito só aceitou desencalhar, porque se trata de um moço bem dotado. Isso ajuda a criar muitas fantasias pecaminosas nas cabeças da maioria delas.

Ninguém sabe o que se passa no coração e na mente do enfermeiro: uma incomensurável angústia. Miro Patrocínio não tarda a descobrir que a anemia de Marieta de Santa Luccia Filomena Vamparazzo Patrocínio da Silva vem de uma hemorragia inesgotável. Ela é estéril e permanece "naqueles dias", cerca de 20 dias por mês. Problema que ele não sabe qual é, nem se interessa em curar.

Meses depois, descobre também que, apesar do prestígio e do poder, o comendador pode estar à beira da falência. Dono de quase todas as terras da região, endividou-se demais e seus recursos começam a se esgotar. Secretamente já vem se desfazendo de seus bens, da famosa herança prometida ao genro.

Esses pensamentos se remoem em sua mente, na manhã em que uma bela moça morena de origem indígena, de cabelos longos e volumosos, cintura fina, quadris largos e seios fartos, sorridente, altiva, esbanjando saúde, entra na clínica, falando alto:

— Bom-dia, doutor Miro! Como vai? Eu vim aqui para fazer um esmiuçado exame geral!

— Desculpe, minha senhora! Mas ainda não estamos capacitados para isso!

Surpreende-se, porém, ante a voz grossa de sotaque nordestino, vinda de fora, aproximando-se como se fosse um trator:

— Se a minha mulher quer fazer um exame geral, o senhor vai fazer o exame geral nela.

A forma incisiva de falar deixa Miro sobressaltado. Na fronte enrugada, as espessas sobrancelhas se juntam. Olha para a porta e lá está um homem com mais de 80 anos, não muito alto, de terno de linho, chapéu de abas largas, botas longas e um chicote na mão.

— O que o senhor...? — sussurra o enfermeiro.

— Eu disse que o senhor vai examinar minha mulher, ou eu fecho essa bodega.

— Mas...

— Não tem mais nem meio mais. O senhor sabe com quem está falando? Não? Eu sou o coronel Marcolino Afonso Cavalcante de Britto.

Miro já ouviu esse nome. Dias antes, três pessoas pararam sob a janela de seu escritório, na clínica, e comentaram entre si a situação do comendador. Uma delas disse às demais que o italiano já vendeu boa parte de suas terras para esse tal coronel, seu maior inimigo político. Certamente pararam ali para que o genro ficasse sabendo onde havia amarrado seu burro.

Com o estetoscópio, Miro ausculta o peito e as costas da moça. Verifica a pressão arterial, examina os reflexos, com soquinhos nos joelhos, que ela responde com gritinhos, olhando-o nos olhos e passando a língua nos lábios vermelhos como cerejas. Ele, enfim, executa os poucos procedimentos médicos que conhece.

— Aparentemente a senhora está em ótima forma, dona...

— Marcela, doutor... não me reconhece? O senhor é um doutor dos bons, mas tem memória fraca.

— Perdão, mas não me lembro.

— O senhor já me examinou e tratou de mim lá na casa de madame Brigitte, no Barreiro.

— Ah, sim. Mas a senhora parece muito bem.

— Mais ou menos, né, doutor. O coronel me tirou da zona e me botou casa, na Fazenda São Valentim. Me dá do bom e do melhor. Não deixa faltar nada. Mas, doutor, vou lhe contar um segredo: na verdade quem precisa mesmo de um exame é ele. Por mais que eu me esforce, ele quase nunca consegue... sabe?

— Sim. Na idade dele é natural. Já não tem mais o vigor da juventude. Talvez um tratamento...

— Chi... não adianta falar isso pra ele. Sempre diz que o problema sou eu que não consigo estimular o bendito. Então me mandou fazer exame geral.

— E o que acha que devo fazer?

— Um tratamento em mim... ué!

O sorriso malicioso de Marcela constrange ainda mais o enfermeiro. Olha para o coronel que ressona, sentado numa cadeira de madeira, junto a uma estante com elixires. De tempo em tempo, desperta e corre os olhos pela sala à procura da mulher.

— Vou ver o que posso fazer. Talvez prepare algo no laboratório para a senhora pôr na comida ou na bebida do coronel. Acho que ele vai voltar à atividade.

— Senhora, não, doutor. Pra quem já me olhou tão... fundo e que curou e deixou limpinha a minha... ferramenta de trabalho, sou apenas Marcela, Celinha...

Sorri e acorda o marido, dizendo:

— Pague o doutor, meu bem! Amanhã ele começa meu tratamento. E parece que será demorado.

O coronel passa algumas notas ao enfermeiro e, sem esperar que conte, sai sem se despedir. Desse dia em diante, tornaram-se frequentes as visitas de Marcela à clínica. E seu comportamento é cada vez mais ousado, mais atrevido, mais oferecido.

Miro Patrocínio sonha, noite após noite, com aquela mulher tão exuberante e insinuante, mas resiste bravamente às investidas. Cada vez ela o provoca mais. Aproveita as ausências do coronel para chegar, de repente, pedindo para tomar injeção. Entra na salinha de consulta e levanta a saia. Jamais veste calcinha. Costuma queixar-se de "uma dorzinha aqui, ó!" Puxa a mão dele e a coloca sobre uma de suas volumosas mamas:

— Bem aqui!

Olhos arregalados, o enfermeiro tenta desviar seu pensamento daquele corpo, que parece ter uma placa vermelha em neon: "Alerta! Alerta! Desgraça à vista!"

Um dia, a resistência acaba e Miro se entrega aos afagos daquela mulher ávida. Uma loucura! Se soubesse que era tão bom, ele teria cedido muito antes. Talvez, lá mesmo no prostíbulo, assim que a curou. Um temporal se avizinha. Aproxima-se uma nuvem carregada e raios já relampejam a distância. Despida da cintura para cima, ela se enreda, feito hera, no corpo também seminu do enfermeiro, cujas mãos percorrem o corpo escaldante. As bocas se devoraram mutuamente. Lábios, línguas, suspiros, gemidos... e, de repente, a porta da salinha se abre:

— Doutor Teodomiro, Romilda fritou esses bolinhos de chu...!!! O estrondo de um trovão se segue àquela fraca voz e o temporal desaba. O susto não podia ser maior. Marieta está ali, na soleira da porta. A pele ganhou um tom acinzentado. Horror! O marido tem apenas um sentimento: piedade. Não ama a mulher, mas jamais gostaria de decepcioná-la desse jeito e fazê-la passar por tal constrangimento.

— Mari...

Nem consegue terminar de pronunciar o nome da esposa, que sai correndo, derrubando tudo o que encontra pela frente. Já na rua, sob a chuva forte, começa a berrar, desesperada:

— Traidor! Indecente! Covarde! Canalha! Seu, seu... seu neeeegro!!!

Cospe na rua, após esse xingamento. Seus berros chamam a atenção de todos. Parece que toda a população de Marilândia Paulista saiu à rua, sem se dar conta da chuva forte. Em minutos, sombrinhas e guarda-chuvas lotam a praça cobrindo pessoas conhecidas e desconhecidas. Alguém avisou o coronel. Outro chamou o comendador, que é o primeiro a chegar.

Os olhares do sogro e de Miro se cruzam. O de Domênico não expressa ódio. Só decepção. O de Miro é de pura vergonha. Marieta, para surpresa de todos, não chora, nem se mostra decepcionada. Traz na face um sorriso de alívio, de quem acaba de conquistar sua carta de alforria. Em sua mente surge apenas um nome: Júlio. Jura que há de partir para procurá-lo e entregar-se a ele.

No outro lado da praça, surge o cavalo do coronel Marcolino Afonso. Capa de lona e chapelão. À mão, uma carabina engatilhada. Do lado oposto, o apito do trem se sobrepuja ao ruído da chuva e ao vozerio das pessoas, que cada vez berram mais alto: "Negro!"; "Preto sem vergonha!"; "Negro violentador!"; "Preto abusador de mulher casada"; "Negro! Negro! Negro!"; "Só podia ser preto!"

Novamente ele não tem tempo de apanhar nenhum pertence, apenas o pouco dinheiro que tem numa gaveta da escrivaninha, e correr em direção à estação. Alguém lhe atira uma pedra, acertando-o na cabeça.

Só mais tarde, no banco do vagão do trem, sente o sangue ressecado grudado ao pescoço. Não tem consigo nem ao menos um pedaço de gaze, nem antisséptico para a bandagem. Sabe que seu mundo ruiu e o futuro escorre sem controle, como aquele sangue que empapou seu jaleco branco.

O vermelho tinge o branco... O negro encobre o "moreno". Os ferimentos, tanto o da cabeça quanto o da alma, fazem, pela primeira vez, Miro Patrocínio descobrir quanto pode doer a palavra "preto".

18

Heroísmo: epidemia que contagia

Está mesmo em polvorosa a capital: "Guerra! São Paulo está em guerra civil!", proclama o rádio. Brado que faz vibrar e excita a imaginação de Maria. O locutor garante que a revolução está construindo um novo Brasil. Ela se empolga, mas também se angustia:

— Meu Deus, quanta coisa eles dizem! Como sobreviver a tudo isso? Impossível ficar aqui, parada, vendo o mundo pegar fogo e fingir que tudo está tranquilo.

A cabeça de Maria vive num tornado. É quando a voz do rádio ganha cor: fica preta. O locutor acaba de revelar que os três batalhões da Legião Negra já contam com mais de 3 mil voluntários: "E há de crescer mais. Jamais será vão o martírio do fuzileiro da 1ª Companhia, Melchiades Neres Campos, herói ousado que atacou e dizimou dezenas de adversários. Ferido, preso, chicoteado e amarrado com cordas a um cavalo, foi arrastado, até a morte, pelos campos de Guapiara. Salve fuzileiro Melchiades Neres Campos. Salve! Salve!"

Lágrimas escorrem pela face de Maria, ao acender uma lamparina em memória de Melchiades, para ela um parente distante de quem só tomou conhecimento após o martírio. A música agora é marcial e pomposa. Antecede ao anúncio da partida do efetivo completo da 3ª Companhia do Batalhão Conselheiro Rebouças, sob o comando do tenente Pedro Leite Mendes. O coração da cozinheira acelera. Ela para a arrumação de seu quarto para ouvir a notícia da passagem por Quitaúna do Grupo de Bombardas Pesadas da Legião, que tem à frente os tenentes Joaquim Rudge e Anacleto Bernardo. E se agita ao ouvir a exaltação à bravura em combate do Batalhão Henrique Dias.

E os heróis vão se multiplicando. Pouco a pouco, ela vai se transformando em parente de soldados, cabos e sargentos, comandados por destemidos tenentes, todos negros, nas diversas frentes de batalha. Como o 2º tenente comissionado Newton Ribeiro de Catta Preta que, segundo o rádio, é "eficazmente coadjuvado pelos tenentes Alexandre Seabra de Mello e Mário Leão, que lutam com desassombro".

Um acorde musical e Maria se emociona como quando ouvia sua rádio-novela. Já não se interessa mais por ela. Só por notícias da revolução, de preferência sobre esses seus novos familiares combatentes. Vibra muito com a narrativa da "bravura do tenente Henrique" — o rádio chia no momento em que o locutor diz o sobrenome do militar —, "que comanda uma das tropas na frente norte, em Vila Queimada. Não menos valente é o tenente Silva Barros, comandante do 1º Pelotão que..."

— Essa minha gente é mesmo demais! — pensa Maria e ela própria se adverte. — Psiu! Cala a boca que o rádio está elogiando "a garbosa 2ª Companhia do Batalhão Vidal de Negreiros, comandada pelo Capitão Januário dos Santos".

Garboso, valente, bravo, ousado, eficaz, heroico... não fosse a revolução paulista, quando será que o rádio faria elogios tão bonitos a seu povo?

— Mariiia! O assado está queimando! — berra Quintiliana, na porta da cozinha.

A cozinheira cai em si e se desespera. Olha para o rádio e para a porta, novamente ao rádio e à porta e ao rádio... Toca o botão para desligar, mas não o faz. Teme que, se o calar, ele jamais voltará a falar. Dá dois passos em direção à porta e volta-se. Não há mais tempo. Sai correndo em direção à cozinha.

Para, por alguns segundos, no meio do caminho, olha para a mansão e, pela primeira vez, dá-se conta da imensidão daquela casa, com mais de 20 cômodos:

— Nossa, que casa grande! — reflete. Em sua mente surge a imagem de sua avó, Nena, lhe contando histórias do tempo em que vivia numa senzala.

Casa grande e senzala... Assim como a avó, Maria passa seus dias na primeira, acorrentada à outra. Sente vontade de berrar que não se importa se a carne vai queimar, se os patrões ficarão sem o jantar, se vão mandá-la embora, se terá de viver num barraco, se vão pôr Quintiliana em seu lugar, no comando da cozinha...

— Isso jamais! Na cozinha mando eu — reage Maria, de cabeça erguida. Engole o berro em seco, se recompõe e corre salvar o assado.

19

À beira-mar, o começo do recomeço

Durante a viagem de fuga de Miro, no sacolejo do trem, um sono nada restaurador. Sono agitado, repleto de pesadelos. O desespero abate o fugitivo, que faz força para acordar. Um alívio toma conta de sua alma, ao perceber que conseguiu espantar os maus sonhos e que, aos poucos, Marilândia Paulista vai se transformando num distante passado.

— Meu bom amigo Miro vai me perdoar, mas ele entrou mesmo foi numa boa fria — comenta o velho Tião, sentado no banco da praça, rindo, aos soquinhos.

E que fria! E que frio! A roupa molhada e as circunstâncias o regelam por fora e por dentro. Ir pra onde, agora que seu mundo ruiu? São Paulo, nem pensar. Já se passou mais de um ano, será que se esqueceram dele? E se deixaram alguém de espreita na antiga pensão? Ou, quem sabe, estejam vigiando a casa da madrinha, de quem não tem notícia e para quem não mandou uma carta sequer desde que fugiu para o interior.

Depois do trem, que o deixa na Estação da Luz, só tem tempo de comprar outra passagem e esperar o que o levará para o litoral. Está decidido: se não conseguir nenhum emprego em sua área, vai procurar trabalho no cais do porto. Vai trabalhar na estiva, que "é emprego de preto", pensa, lembrando-se dos xingamentos e da pedrada. Sim, ele é preto. Não era, mas ficou.

Ao descer na estação terminal da linha Santos-Jundiaí da São Paulo Railway Company, está mais tranquilo. Ali ninguém o conhece. Passa em frente à vitrine de uma loja, vê sua imagem refletida num espelho e para. Observa os traços, o nariz, os lábios, os cabelos... olha bem a forma de seu rosto, a cor de sua pele. Incrível! Sempre se imaginou parecido com o pai, que não conheceu, mas quem vem a sua mente, nesse momento, é Benê, acenando de maneira quase letárgica de um banco no jardim do Pinel. Agora ele sabe que é preto. Preto como Benê.

"Mãe!" é a primeira vez, em tantas décadas, que sua mente se ocupa daquela mulher negra. E se lembra de jamais tê-la chamado de mãe. Em sua memória a imagem de Benê cresce, aproxima-se, abre um sorriso. "Mamãe!" Ele a vê nitidamente. As lágrimas rolam pelas faces de ambos. Miro estende os braços para abraçá-la e a vê de braços estendidos também.

— Mamãezinha querida, me perdoa por tê-la matado em vida. Tenho certeza de que, se eu a amasse, se lhe tivesse dado o carinho, que minha madrinha me aconselhava a dar, você teria deixado aquele lugar e viria viver conosco. Mamãe, agora eu me conheço, agora eu te conheço. Eu te amo!

Benê se ilumina, uma luz forte como o sol. Um sol que lentamente sobe e ocupa a abóbada celeste, entre as demais estrelas. Finalmente ela está redimida.

As palavras de Miro já não saem mais. São tomadas pelos soluços. Ele se encosta à parede da loja e escorrega lentamente até sentar-se na calçada, enlaçar os joelhos, como se abraçasse a própria mãe. O mundo, à sua volta, gira e ele se deita na calçada. O que se passa em sua mente, a partir daí, já não consegue registrar.

— Meu filho! Meu filho! Oh, meu filho, o que aconteceu? Está se sentindo mal?

A voz feminina o traz de volta à vida. Abre os olhos, pensando tratar-se de Benê, que veio resgatá-lo também. A luz que vem do lampião, no alto do poste, o ofusca. Mas não. Não é sua mãe que voltou. É, apenas, uma anciã cabocla, preocupada com seu estado. Atitude contrária à da maioria das pessoas que passaram por ali, viram aquele jovem deitado na calçada, com os braços enlaçando os joelhos, menearam a cabeça e comentaram sobre os malefícios do alcoolismo.

Ele lhe agradece a atenção e diz que foi apenas um mal-estar súbito que já passou. Ela insiste, mas Miro agradece e a vê afastar-se. Só então o ex-enfermeiro se dá conta de que já anoiteceu. Levanta-se da calçada. Procura hospedagem ali mesmo, na área do cais, numa pensão, num beco, que também serve de hotel de alta rotatividade para as prostitutas.

Na calçada em frente, as "meninas" esperam a chegada dos navios para dar alento aos marinheiros. Nos dias em que não há navios atracados, recebem trabalhadores aduaneiros, em programas rápidos, para amealhar algumas moedas. A primeira ideia que vem à cabeça do ex-enfermeiro, ao se instalar na velha pensão, é a de escrever uma longa carta para a madrinha e revelar seu próprio resgate e o de sua, agora, "amada mãe". Sabe que ela ficará contente, pois finalmente seu menino descobriu o encanto que era Benê.

* * *

E é mesmo uma emoção incomum para a já velhinha Berenice obter notícias do afilhado, desaparecido há tanto tempo. Os olhos fracos, atrás das grossas lentes dos óculos de aro de madrepérola, passeiam pelo papel, avançam, voltam, leem, releem, para entender bem o que se passou, desde que Miro sumiu de São Paulo, sem dar notícias. Entende que o medo de ser descoberto pela polícia política fez que evitasse qualquer contato.

Agora, as coisas se acalmaram e já pode fornecer o endereço de onde está vivendo, em Santos. Não quer arriscar-se, ainda, a subir à capital. Mas deseja receber resposta, notícias, quem sabe uma visita. Não visita, não. O lugar não é decente. Mas, por telegrama, podem combinar, e ele a esperará na estação. Vai levá-la a passear pela cidade, pelas praias e restaurantes.

A alegria da madrinha não tem tamanho, ainda mais pelas belas palavras com que Miro se refere a Benê. Quer demais estar com ele. Mas encontra-se muito doente, bastante idosa, num misto de ansiedade e de temeridade por causa do momento, da agitação em que vive a capital. Apanha o bloco de papel de carta, com aroma de lavanda, o tinteiro e a pena que utilizou tantas vezes para redigir cartas de amor. E é com amor que vai responder ao afilhado, enfim, ressuscitado.

* * *

Nas manhãs seguintes, Miro sai para arranjar trabalho. Caminha por horas de um lado para o outro, pelo porto e pelas ruas próximas. Fala com um e com outro, mas a resposta é sempre a mesma: "Não tem vaga".

A crise mundial, nascida do *crack* da bolsa, nos Estados Unidos, atingiu em cheio o maior porto do Brasil.[34]

— Chi! Não vai conseguir nada, não! A companhia já dispensou quase a metade do pessoal — comenta um velho conferente, na plataforma de embarque de exportações.

---

34. Referência à quebra da Bolsa de Nova York, ocorrida em 1929, que contraiu o comércio global e prejudicou, entre outras consequências, a atividade econômica no porto de Santos, devido à redução de embarques e desembarques de mercadorias.

20

São Paulo chamou? Eu vou!

Já não há mais paz. Nem na terra, nem no mar, nem no ar. E aviões lançam bombas, desde as primeiras batalhas. Vitimado por esclerose múltipla e por profunda depressão, Alberto Santos Dumont encontra-se no Guarujá, residindo no Grande Hotel de la Plage. Ao ouvir o ronco das aeronaves das forças federais rumando para bombardear a capital paulista, ele se desespera e tampa os ouvidos. "Eu inventei a desgraça do mundo!", berra enlouquecido, naquele 23 de julho. Tranca-se no quarto 151 e não desce para almoçar. Usando uma chave-mestra, um camareiro o encontra dependurado no chuveiro. Enforcou-se com duas gravatas.

A nota de falecimento foi lida e relida várias vezes, enquanto locutores e comentaristas se encarregaram de acusar o lado adversário pelo suicídio do "pai da aviação", o mais importante inventor brasileiro de todos os tempos.

— Como um homem tão rico, tão inteligente pode se matar desse jeito? — pensa Maria, ao sentar-se no banco dianteiro do automóvel, ao lado de Otacílio, o motorista de seus patrões.

É a primeira vez em que é levada de carro pela madame a algum lugar. A rica senhora, no banco traseiro, decidiu alistar-se, como as demais aristocráticas paulistanas, para atuar nas bases de apoio à revolução. E dará à cozinheira a honra de poder ajudar São Paulo a vencer.

Otacílio obedece à ordem da patroa de fazer um caminho mais longo. Dará uma grande volta para, antes, parar numa confeitaria da Rua São Bento, próxima ao Largo do Café, e apanhar brioches e croissants para o chá da tarde. De lá, seguirão para o Largo São Bento, entrarão à esquerda em frente ao convento dos beneditinos, atravessarão o Viaduto Santa Ifigênia. Volverão à direita, seguirão pela alameda até a Estação da Luz. Aí é só entrar à esquerda em direção à Estação da Sorocabana e, chegando ao Liceu Coração de Jesus — fundado pelos padres salesianos —, já estarão nos Campos Elíseos, próximo ao QG revolucionário.

Maria aproveita para observar os lampiões a gás na área mais nobre do centro da cidade e se encanta. Nunca, antes, teve a oportunidade de passar naquelas ruas chiques. Mas a ansiedade de chegar à Chácara do Carvalho é imensa. A patroa conta à cozinheira e ao motorista que, antes de aquela chácara ser transformada na sede da 2ª Região Militar, ela e o marido frequentaram jantares e grandes festas da família Prado. Doutor Veríssimo e dona Veridiana, filhos do Barão de Iguape com dona Maria Cândida Moura, adoravam dar festas na chácara.

— Meu amado marido chegou a jogar polo a cavalo com o doutor Veríssimo e com o doutor Martinho Silva Prado, esposo de dona Veridiana. Vou lhes contar um segredo: ele era tio dela e 14 anos mais velho. Dizem que ele nem gostava muito de... ah! Deixa pra lá. Só sei que se separaram, e ela vivia na ala inferior da mansão, que mandou construir em Higienópolis, e ele na parte superior. Não me lembro bem dele, pois eu era muito menina, mas dela sim. Morreu em 1910, com 83 anos. Olha, Otacílio, pare ali, junto àquela banca de jornal!

O automóvel para e a patroa desce com a empregada, sob o olhar atento e curioso de Quincas, o jornaleiro português. Madame pede a Maria que a espere um instante, pois quer ler o que está na primeira página de um jornal dependurado. É a exaltação ao civismo das mulheres paulistas, no esforço de guerra. A notícia as compara às mulheres dos bandeirantes, que "os instigavam a partir para as conquistas e se negavam a recebê-los se voltassem derrotados".

O artigo afirma que, graças à mobilização das nobres damas quatrocentonas, estima-se que algo em torno de 50 mil mulheres irão se alistar e formar os batalhões de apoio logístico: enfermeiras, cozinheiras, costureiras, coletoras de donativos e vendedoras de bônus para reforçar o caixa do estado. E que as mulheres também trabalham na produção de material bélico leve.

— Maria, em que grupo você vai se alistar?

— Sei não, patroa. No que precisar mais de gente, eu me alisto.

— Pena que a Quintiliana viajou para o enterro do pai, na Bahia. Devia se alistar também. Estamos todas, as senhoras de São Paulo, cedendo serviçais para a revolução. Nós, as damas paulistas, queremos auxiliar em tudo. Ao contrário das mulheres de Atenas, não ficamos à espera do retorno dos guerreiros. Vamos à luta!

Volta a ler o jornal sobre a indústria paulista que se adaptou ao esforço de guerra, na manufatura de produtos necessários aos combatentes. O dinheiro é escasso. E cabe às damas da sociedade encabeçar a campanha "Ouro para o Bem de São Paulo". "Ouro é vitória" apregoa um anúncio e outro intima: "Dê o vosso ouro como nós damos nosso sangue". Na foto, artistas modernistas, como Tarsila do Amaral, Anita Malfati, Mário de Andrade e Menotti Del Picchia, marcham com a classe média, na campanha cívico-revolucionária.

A madame olha para as próprias mãos. A aliança e os anéis faíscam. Dói-lhe o coração pensar que poderão fazer parte dos fundos de guerra, mas se conforma: "Se tiver que ser, será!" A notícia revela que foram criadas as Casas do Soldado, postos de atendimento médico e alimentício para combatentes em convalescença. Lá também serão consertadas fardas e distribuídos equipamentos de combate. Fala ainda da Casa da Formiga, que atende os filhos dos que estão nas frentes de batalha.

E o jornal prossegue dizendo que nos primeiros dias de revolução, "*igrejas, conventos, clubes, asilos, orfanatos, hospitais, associações, bazares e algumas mansões das famílias tradicionais transformaram-se em base de apoio logístico para o exército constitucionalista.*

Os batalhões em traslado, muitas vezes, se abrigam nas escolas, cujas aulas foram suspensas".

Depois da leitura, as duas começam a caminhar em direção à chácara, quando a patroa grita:

— Espere, Maria! Ali vão duas amigas dos meus tempos do Des Oiseaux.

Maria avista duas elegantes damas da sociedade, sob coloridas sombrinhas, repletas de babados. Antes de seguir na direção delas, a patroa lhe conta que não via uma delas desde que viajara para a Europa, com o marido, presidente do Clube Inglês. Já com a outra costuma tomar chá das cinco, todas as tardes no Jockey Club. Maria a acompanha até a calçada oposta, mas se mantém alguns passos atrás.

As amigas trocam beijinhos e sorrisos. A conversa se encaminha para as notícias mais recentes. As três manifestam preocupação com relação ao clima de guerra e ao futuro. Dos assuntos revolucionários, passam para fofocas da *high society* paulistana.

A cozinheira vai ficando cada vez mais nervosa, diante dessa conversa que não tem mais fim.

— Desculpe, patroa, posso ir na frente? Depois podemos voltar juntas, se a senhora quiser.

— Vá, Maria! Cumpra seu dever! Estou aqui num assunto muito importante. Minhas amigas e eu vamos a uma casa de chá que acaba de inaugurar ali no comecinho da Rua Dona Angélica. Otacílio nos leva. Pode voltar direto, de bonde, para casa. Elas me lembraram que não precisamos nos alistar. Vamos atuar no Centro de Coordenação das Atividades Femininas, na sede da Liga das Senhoras Católicas de São Paulo, fundada por minha parente Olívia Guedes Penteado.

Maria praticamente corre em direção à Chácara do Carvalho. Atravessa rápido os portões e o pátio. Entra na sala da Junta de Alistamento e imediatamente começa a ditar seus dados para a ficha: "Maria José Barroso..." Já é noite alta, quando a cozinheira chega à mansão, para despedir-se dos patrões, principalmente das crianças, que gostam muito dela. Ela as viu nascer e também ajuda em sua educação. Surpresa geral: Maria está fardada. Lá fora, há um grupo de cerca de vinte voluntários negros e indígenas que a acompanha.

— O pessoal, lá na chácara, me chama de Maria Soldado. Acho que eu serei muito mais útil pra São Paulo na linha de frente da revolução.

Boquiabertos, o doutor e a madame não sabem como argumentar quanto aos perigos que ela irá enfrentar. As crianças choram. Passa também na casa de Dona Nicota, para quem cozinhou emprestada pela patroa. Muito religiosa, a tia da madame não a deixou partir, antes de rezar um rosário inteiro, com os mistérios gozosos, dolorosos e gloriosos. Depois lhe põe no pescoço uma correntinha com uma medalha de Nossa Senhora Auxiliadora, que a protegerá com seu manto azul e a trará de volta.

Maria sente que é amada pela família dos patrões. Enxuga uma lágrima que insiste em cair e apruma o corpo, com muito orgulho. O grupo parte a pé e para numa birosca para tomar umas talagadas e contar histórias de assombração e de traições, nas rodas de samba. Maria ri muito. Finalmente encontrou sua família.

21

Naquele canto, um aroma, um encanto

Lá em Santos, todos os dias, Miro sai esperançoso em busca de trabalho, e sempre volta desanimado. Mas, numa tardinha, ao sair de um beco, avista três marinheiros conversando em torno de uma mesinha de calçada, em frente a um pequeno bar.

Miro ainda não almoçou.

— Preciso matar aquela que está me matando, pensa.

Ao se aproximar, percebe que os marinheiros riem muito e conversam alto, em inglês. Fica curioso. Quer exercitar o seu conhecimento da língua. Pretende ficar perto deles e ver o que consegue entender daquela conversa.

Quando olha para dentro do bar, parece que o tempo parou e que o mundo foi envolvido pelo mais profundo silêncio. Atrás do balcão está a mulher mais linda sobre a qual seus olhos já pousaram. Negra retinta, cabelos ondulados, compridos, até o meio das costas, olhos de jabuticaba, rosto e lábios finos. Ele, que nunca se interessou por mulheres negras, está completamente entregue àquele encantamento. Quase sem querer, abre um sorriso.

Seu fascínio é percebido pelo marinheiro que está sentado de costas para a rua, de frente para o balcão. E não está naquela posição por acaso. Desde que chegou ao Brasil, vai àquele bar, com amigos ou sozinho, apenas para ver a mesma garota que acaba de mudar a preferência estética de Teodomiro.

— Um lanche de carne assada e um suco de laranja, por favor! — pede o ex-enfermeiro.

A jovem sorri. Tem um olhar luminoso, mas é muito tímida. Isso deixa Miro mais atraído por ela. Já não se interessa pela conversa dos marinheiros. Sente que precisa muito conhecer melhor aquela garota.

Enquanto prepara o lanche e o suco, ela olha de soslaio para o moço bonito. Apesar da roupa simples, ele parece ser muito fino. Ambos não demoram a começar uma conversa. É Miro quem toma a iniciativa, perguntando até que hora o bar fica aberto. Explica que está em Santos para trabalhar na estiva, mora na pensão e, de vez em quando, acorda de madrugada com muita fome.

A garota diz que, geralmente, fecha às dez da noite. Ele se admira e pergunta se não é arriscado ficar até tão tarde. Mas ela não vê problema:

— Sou nascida e criada neste bairro. Todos aqui me conhecem, desde menina. Bons e maus. Eu os respeito, e eles a mim. Mesmo que tivesse algum risco, não moro longe.

Revela, então, que vive num pequeno apartamento sobre o bar, montado por seu tio, que se encontra hospitalizado, em estado grave, em consequência de um acidente ferroviário, na descida da serra.

— É o único irmão de minha mãe, que morreu há quase dez anos. Ela era solteira e eu sou filha única. Meus tios só têm a mim para ajudá-los. Não tem mais ninguém pra tocar o bar. O movimento, à noite, nesta área portuária é sempre melhor. Por isso fico até tarde.

— Você já me contou tanta coisa, mas até agora não me disse seu nome — comenta Miro.

— Stela... Stela Maris...

— Stela Maris, estrela do mar... — Miro adora a etimologia das palavras. Essas, ele lembra que vêm do latim. — Tem tudo a ver contigo. É linda e luminosa como uma estrela e rebrilha à brisa marinha...

O sorriso desconcertado da garota não esconde uma pontinha de desejo de ouvir mais as deliciosas palavras desse moço, que faz qualquer garota simples se sentir uma rainha.

— Uma rainha guerreira e poderosa, como Nzinga[35] —, pensa Stela, ao lembrar-se da bela história contada por um oficial de um navio mercante angolano.

Da mesinha na calçada, o marinheiro já não presta mais atenção no que dizem os companheiros. Levanta-se e se aproxima do balcão. Para ao lado de Miro e diz à garota:

— Give me a brandywine, please![36]

— O quê, moço!? Meu Deus, por que vocês não falam a língua da gente?

— Ele pediu uma aguardente, cachaça — intervém Miro.

— Ah, é isso? Hum! Você entende a língua desses marinheiros? Esse vem aqui todo dia. Nunca entendo o que diz. Aí, ele entra e mostra o que quer.

O marinheiro não entende o que os dois dizem. Parado diante deles, seu olhar busca, insistente, os olhos de jabuticaba de garota, que continua falando:

— Hoje, ele veio com os amigos, pediu... Como é mesmo que ele falou? Ah! Lembrei: "Guivimitubir".

— Guivimitubir? — estranha o enfermeiro.

— É. Eu não entendi nada, claro. Aí ele abriu a geladeira e apanhou duas garrafas de cerveja.

— Ah! — Miro começa a rir. — Give me two beers. Me dê duas cervejas...

---

35. Ngola Nzinga Mbande, também conhecida como Rainha Jinga, nasceu na região de Angola, em 1583, e viveu por 80 anos. Foi rainha dos reinos de Ndongo e de Matamba, no sudoeste africano. Liderou tropas de resistência aos invasores portugueses, mas se converteu ao cristianismo e adotou o nome de Dona Ana de Sousa. Pelos desmandos dos colonizadores, rejeitou a fé romana e voltou a enfrentá-los. Depois voltou a ser cristã e assinou com Portugal tratado reinserindo os ex-escravizados na sociedade angolana. Após sua morte, cerca de 7 mil de seus soldados foram escravizados e enviados ao Brasil. O nome da Rainha Jinga ainda hoje é cantado em vários folguedos populares, como a Folia de Reis.

36. Me dê uma aguardente, por favor!

Stela fica meio sem graça. Abaixa a cabeça, mas Miro se apressa em desculpar-se:

— Perdão! Não quis ofendê-la. Mas, admita, é engraçada a maneira que guardou a frase.

Ela sorri e concorda com ele.

— Where is my brandywine?[37] — insiste o marinheiro.

Miro traduz e a garota responde:

— Calma, gringo!

Serve. O marinheiro apanha a bebida e volta-se para Miro:

— I realize you speak English...[38]

— A little. More or less.[39]

— My portuguese is very bad.[40]

Os dois começam a conversar em inglês. O estrangeiro conta que está no Brasil há duas semanas. Ele é jamaicano, mas vive nos Estados Unidos. Olha de um lado e do outro e, sussurrando, revela que não é um marinheiro de verdade. É um militante e luta contra o racismo institucionalizado em vários estados americanos. Seu líder, Marcus Garvey, foi preso e ele embarcou clandestinamente em um navio.

Miro não sabe nada sobre Garvey. Sente, porém, que há similaridades entre sua história e a desse falso marinheiro, que venera Marcus Mosiah Garvey. Também jamaicano, o líder do movimento nacionalista negro fundou a Associação Universal para o Progresso Negro (Universal Negro Improvement Association — Unia), que já ultrapassou 1.110 filiais em mais de 40 países. O lema da entidade é "One God! One aim! One destiny!" (Um Deus! Uma aspiração! Um destino!) e desde 1918 ele publica, no Harlem, o jornal *Negro World*.

O rapaz lhe conta que Garvey prega a redenção através da volta à África. "Mas quem sairia dos Estados Unidos para viver na África?", pensa o incrédulo Miro. E fica sabendo que milhares de

---

37. Onde está minha aguardente?

38. Eu vi que você fala inglês.

39. Um pouco. Mais ou menos.

40. Meu português é muito ruim.

negros o fizeram. Já se realizaram três viagens com centenas de "retornados".

Para ele, uma surpresa. Jamais imaginou que fora do País, principalmente nos Estados Unidos, estivesse acontecendo um movimento nessas proporções. Lembra-se de Salim ter-lhe falado da Frente Negra. Mas esse movimento nem pode comparar-se a um que aluga navios para os ex-escravizados irem viver na terra da qual seus antepassados foram arrancados tão violentamente.

Tivesse ouvido essa história, dias antes, talvez Miro Patrocínio discutisse com o jamaicano. Teria feito o discurso de defesa da "democracia racial" do paraíso para a convivência interétnica, que é o Brasil. Apontaria o dedo indicador no nariz do interlocutor gritando:

— Você é um exemplo de como todos são bem-vindos e bem tratados aqui.

Mas, agora, depois do que sofreu em Marilândia Paulista, xingamentos e pedradas, já não acredita na mentira da igualdade. Cala-se a respeito de suas antigas convicções. Está bastante curioso sobre como o jovem militante conseguiu fugir para o Brasil. Fica então sabendo que ele se escondeu no porto de Boston, onde alugou o uniforme de um marinheiro e misturou-se aos demais num navio que veio para cá. Riem com o comentário de que, para os oficiais brancos, todo marinheiro preto é igual.

Os olhos de Miro se marejam pela lembrança de que se manteve totalmente alienado, por tantos anos. Estão ali, em pé, falando em inglês e rindo, diante da bela garota que nada entende da conversa. Só então se dão conta de que nem se apresentaram:

— Sorry! My name is Teodomiro Patrocínio, nice to meet you![41]

— Oh! Nice to meet you too! I'm John, John Washington![42]

Os dois marinheiros, à mesa, gritam para John voltar e levar mais cerveja. Ele pede mais duas garrafas. Conta que um deles foi quem lhe alugou o uniforme, que devolverá nessa noite. Depois,

---

41. Desculpe! Meu nome é Teodomiro Patrocínio, prazer em conhecê-lo!

42. Oh! Muito prazer também! Eu sou John, John Washington!

convida Miro a juntar-se ao grupo. Este, porém, voltou sua atenção a Stela. Prefere permanecer ali, junto ao balcão, conversando com Stela. Mal sabe ele, mas a garota tem o mesmo desejo.

Quando vão embora, os marinheiros e John já estão bêbados. Passa de oito da noite. Muita gente já entrou e saiu, mas agora no bar só restam Stela e Miro.

— Você tem mesmo de fechar só às dez?

— Por que pergunta?

— Porque eu acho que poderia fechar agora. Não tem ninguém e você pode me oferecer um chá em seu apartamento.

Miro não se reconhece. Jamais, antes, teve coragem de fazer esse tipo de abordagem.

— É. Parece mesmo que não vem mais ninguém. Então, eu te ofereço um café.

— E eu aceito, com muito prazer. Onde está o ferro para abaixar essa porta?

Mal sobem a escada e se entrelaçam loucamente. Afagos, carinhos, suspiros, sussurros, pedidos, elogios sem fim. Passam horas de amor ardente, repletas de prazer e de algo inexplicável. Miro nunca imaginou que sexo podia despertar tantas sensações físicas e emocionais. Para ele, uma grande descoberta.

O perfume que emana do corpo de Stela Maris o inebria, alucina. Não se lembra de tê-lo sentido antes, jamais. É a soma de tudo o que há de melhor na perfumaria natural do corpo feminino. E o sabor, então? Não existe nada igual.

Ali, naquele canto de mundo, o que vale não é só o prazer que aquela mulher pode lhe propiciar, e ele a ela. Deleita-se muito mais com o prazer de se reconhecer, de se identificar. Sente que, finalmente, tornou-se livre, livre para viver, para amar, para ser quem realmente é. Uma sensação de liberdade que se esvai no exato instante em que ouve da jovem amante:

— Fica comigo, para sempre?

Miro se assusta. Vem à mente seu casamento e o fim trágico desse relacionamento. Sente que não quer mais viver preso a ninguém. Principalmente num tempo como esse de crise e de revolução iminente. Qualquer vínculo gera sofrimento. Essa é uma mulher maravilhosa, sim. Nunca conheceu nenhuma igual. Não quer, porém, sofrer, quando tiver de se apartar dela e, muito menos, fazê-la sofrer. Pensa, mas não lhe diz nada disso. Dá-lhe um longo beijo nos lábios e levanta-se para se banhar. Na volta, simplesmente começa a vestir-se, sem olhar para ela, temendo apaixonar-se.

Stela entende a resposta, ou melhor, a ausência dela. Um par de lágrimas insiste em rolar pela bela e negra face. Também, permanece calada. Alta madrugada, Miro caminha por becos da região do cais e sente que é seguido. Olha de um lado, do outro. A escuridão não permite ver ninguém. Não vê, mas sente. É a compensação dos sentidos: um falta, o outro aguça.

Ouve passos. O coração se acelera e ele procura um pedaço de pau, ferro, ou algo com que possa armar-se, defender-se. Não encontra nada por perto. De repente, vê uma sombra aproximando-se rápido. Põem-se em guarda, pronto para socar seu perseguidor, quando ouve uma voz:

— Wait, my friend! It's me, John![43]

Reconhece a voz, mas estranha a roupa. Diz ao novo amigo que não o reconheceu, sem uniforme. John explica que já o devolveu ao marinheiro. À luz de um lampião de gás, param para conversar. Mais relaxado, Miro explica ao jamaicano que a região é muito perigosa. Por isso o medo. John ri do perigo e diz que já está acostumado com ele. Já viveu muitas aventuras como essa de conseguir o uniforme, em troca de uma "caixinha" ao marinheiro.

Miro não imaginava que também nos Estados Unidos existisse essa coisa do "jeitinho", pensava ser exclusividade brasileira. John diz que propinas existem no mundo todo. Caminham no sentido da pensão, em que Miro está hospedado. John, então, confessa ao enfermeiro sua paixão por Stela. Voltou para falar com ela, já que o bar só fecha às dez. Mas o encontrou fechado. Pede que Miro lhe sirva de intérprete, em sua declaração de amor.

O ex-enfermeiro se sente constrangido. John lhe conta que viu luz na janela do apartamento sobre o bar. Não sabe se a garota estava só ou acompanhada. Miro resolve mudar de assunto e

---

43. Espere, amigo! Sou eu, John!

pergunta ao jamaicano até quando ele pretende ficar no Brasil. O amigo diz que não sabia que o Brasil é tão grande e, igualmente, tão agitado. Diz que descobriu a capoeira e também novas estratégias de guerrilha. Mandou uma carta aos companheiros de militância. Recebeu ordens para permanecer aqui e aprender ambas as técnicas. Depois, deve voltar para ensiná-las a grupos paramilitares negros, que estão se formando no sul dos Estados Unidos.

Pede a Miro que o ajude a cumprir sua missão. Ele responde que nada sabe a respeito, mas pode procurar quem as conheça e repassar as informações a ele. Será mais fácil ele obtê-las que o jamaicano. Em contrapartida, John o informará tudo a respeito dos movimentos políticos raciais que acontecem nos Estados Unidos. Particularmente o que dizem os dois maiores líderes e intelectuais do momento: o jamaicano Marcus Garvey e o americano W.E.B. Du Bois. Miro deve, apenas, se comprometer a repassar as informações às lideranças negras brasileiras. John trouxe vários textos de ambos e de outros pensadores. Pede que Miro os traduza e publique em jornais destinados aos negros do país.

Para esse ex-alienado, isso tudo é fascinante. Nunca havia ouvido falar no movimento de retorno à África nem no pan-africanismo. Imagina uma luta sem fronteiras, com base no pensamento de que os filhos da África, dispersos pelo mundo pela diáspora, são um povo só e podem se organizar como tal! E ele, que a vida inteira tinha se considerado índio, agora, quer conhecer melhor suas raízes africanas.

Percebendo a animação do amigo, John o convida a ir, consigo, para os Estados Unidos para ensinar a seus companheiros as técnicas de guerrilha e de capoeira. Responde que nada sabe sobre guerrilha e de capoeira. Ele é um profissional de enfermagem. Capoeira, segundo Miro, é coisa de lutadores de rua e guerrilha, dos bandoleiros do cangaço.

Ainda falam sobre esse assunto quando chegam perto da pensão e Miro vê, pela janela, que a luz de seu quarto está acesa. Fica preocupado. Quem pode estar lá? Seria a polícia? Não quer comprometer o jamaicano. Por isso se despede, com uma desculpa para impedir que ele queira subir.

Antes de partir, John diz que viu cartazes espalhados na cidade e que lhe disseram serem sobre um comício da Legião Negra, numa praça em frente à praia, marcado para o dia seguinte. Ele quer ir, mas precisa de alguém que traduza os discursos dos líderes. Miro se compromete a encontrá-lo lá. Despedem-se e, segundos depois, o novo amigo desaparece na escuridão do beco.

22

Tiros, heroísmo e muitos boatos

Nem amanheceu e Maria já está em plenos exercícios. O rádio nunca contou que, na Chácara do Carvalho, a preparação dos combatentes era relâmpago. Menos de vinte dias depois, seu batalhão embarcará, na estação da Estrada de Ferro Sorocabana, para a frente sul, na divisa com o Paraná. Lá deveria estar o reforço do Rio Grande do Sul, que não veio.

No trem senta-se ao lado de um soldado jovem, que frequentou aulas noturnas da Frente Negra e quer ser jornalista. Ele lhe conta que montarão trincheiras, próximo à cidade de Itararé. É muito bem informado, mas nem imagina que, por um grave erro logístico, sua tropa baterá em retirada rumo ao Rio Paranapanema, abrindo uma "porta" de 150 quilômetros para as tropas federais.

E o jovem segue contando que a frente mais importante é aquela em que se encontra o próprio coronel Palimércio, no Vale do Paraíba, principal acesso terrestre para o Rio de Janeiro. Ali, a ação mais urgente será conquistar a cidade fluminense de Resende. Esperam receber apoio de forças militares mineiras. Mas o que ele não sabe é que, ao contrário, os mineiros combaterão contra os revolucionários.

Mais uma vez ele revela conhecimento, mas não o dom da profecia. O terreno acidentado do Vale favorece a superioridade numérica e bélica das forças de Vargas que ocupam cidades importantes, como Cruzeiro e Lorena. Restará aos paulistas um recuo, considerado tático, não uma debandada.

O rádio, que Maria já não pode ouvir, dramatiza a trágica história do lavrador Paulo Virgílio, da cidade de Cunha, próximo à divisa entre São Paulo e o Rio de Janeiro. Apavorando os humildes moradores, 400 praças de um batalhão da Marinha subiram a Serra do Mar. Virgílio, a mulher e os cinco filhos fugiram para as matas e grotões da Serra de Indaiá. Ao sair para buscar comida, foi capturado e torturado para revelar onde estavam posicionadas as tropas paulistas. Recusando-se a falar e a negar que fosse paulista — diante da exigência de se declarar fluminense — o obrigaram a escavar a própria cova e o fuzilaram. O locutor exalta sua bravura e ressalta que, enquanto era atingido pelas balas, Virgílio bradava: "Morro, mas São Paulo vence!"

Maria cochila, ao balanço do vagão lotado de soldados. Sem ninguém para conversar, o jovem soldado apanha um caderno e começa escrever sobre as frentes de batalha. Além daquelas duas, há ainda a Leste Paulista, que avançará pelo sul de Minas adentro. Mas ela será contida em Pouso Alegre e serão massacrados, na Garganta do Embaú, no alto da Serra da Mantiqueira. Invadirão Passa Quatro, de onde serão obrigados a fugir na direção de Campinas. Na perseguição, as tropas de Getulio ocuparão cidades paulistas junto à divisa, como Itapira. Ainda se travarão sangrentas batalhas, em Atibaia e Bragança Paulista, muito próximas da capital.

Como os demais voluntários, o jovem está bastante otimista. Confia na frente Centro Paulista, particularmente nos batalhões da região de Botucatu, onde as ações revolucionárias são lideradas pela Igreja Católica. Sua eminência dom Carlos Duarte Costa doou parte do tesouro da diocese, cuja joia mais valiosa é sua cruz peitoral de ouro, cravejada de pedras preciosas, para financiar a formação do chamado Batalhão do Bispo.

O jovem anota que São Paulo será apoiado pelo recém-criado estado de Maracaju[44], que, em 10 de julho de 1932, se emancipou do Mato Grosso. Desejo popular, desde a Guerra do Paraguai. Porém, a emancipação não autorizada pela União durou apenas até 2 de outubro do mesmo ano, após a derrota para as forças federais, em duros combates travados em Coxim e Porto Murtinho. Aquele era um porto estratégico para abastecer às tropas paulistas, depois que os getulistas tomaram o Porto de Santos, dois meses após o início dos confrontos.

Maria acorda de repente. O jovem militar dorme, com o caderno de anotações e o lápis caídos no acento. Noite alta. O silêncio é quebrado pelo ruído cadenciado das rodas de aço girando sobre os trilhos. Ouve também os roncos dos companheiros que dormem a sono solto, como se a vida estivesse na mais completa paz.

"Ah!, que falta me faz o rádio!", lamenta, ao lembrar de seu velho companheiro. Agora, por exemplo, ouviria a exaltação ao heroísmo do advogado gaúcho Borges de Medeiros, com seus 450 homens. Diante da traição do interventor do Rio Grande do Sul, o general Flores da Cunha, que prometeu apoiar São Paulo, os homens de Medeiros combateram, no Paraná, as forças de seu estado, que reforçaram o exército getulista. Usavam táticas de guerrilha. Cerca de 200 foram mortos, na Batalha de Cerro Alegre, no município de Piratini. O líder sobreviveu, mas foi preso e cantado nas ruas e pelo rádio, em prosa e em verso: "Não, gaúcho, não te entregues, não sucumba em Cerro Alegre, nas bandas de Piratini. És forte. És rei dos guerreiros, heroico Borges de Medeiros, São Paulo confia em ti!"

Justamente nesse momento, em que deixou ser ouvinte para ser mais um personagem dessa guerra, Maria carece de toda e qualquer informação. Sim, está ali completamente desprovida de poder.

Poderosa de verdade ela se sentiu, marchando com seu batalhão a caminho da estação, ladeado e aplaudido pelas mulheres,

---

44. Atual Mato Grosso do Sul.

filhos, mães e "a parentada toda" dos legionários. Atrás, vinham enfermeiras, muitas delas esposas ou namoradas dos combatentes. Emocionada, assistia às despedidas dos casais, pais e filhos. Ela não tem nenhum parente para beijar, mas a mãe de um soldado se aproximou dela e lhe disse:

— Volte inteira, minha filha! E não dê moleza pra esses macacos do Getulio.

Maria sorriu e prometeu que não daria moleza, não. Abraçaram-se. Um abraço que, de repente, se multiplicou em muitos. Parecia que todas as mulheres que ficaram queriam que Maria Soldado levasse um pouquinho delas para o campo de batalha, na defesa de São Paulo.

— Vão com Deus, Pérolas Negras! — gritou uma delas e todos os presentes lhe fizeram coro.

— Deus salve as nossas Pérolas Negras! Pérolas Negras! Pérolas Negras!

O professor Vicente Ferreira, que sempre acompanhava os legionários ao embarque, contou esse fato a um jornalista. A partir desse dia, foi assim que a Legião Negra passou a ser chamada pelos meios de comunicação: Pérolas Negras.

No vagão de primeira classe, um intelectual ajeita seu pincenê sobre o longo nariz para olhar melhor uma esguia enfermeira negra, que atravessa o vagão, e comenta, saboreando uma boa talagada de absinto:

— Pela raridade, a pérola negra tem um inestimável valor no mercado de pedras preciosas. Mas não podemos esquecer que as pérolas decorrem de uma enfermidade da ostra. E essas pérolas, em especial, de uma grande enfermidade social.

O trem chega a Itapetininga, onde os vagões de primeira classe são desatados do comboio e seguem outro rumo, enquanto os que levam os soldados vão em direção à estação de Ligiana. Lá, aquele batalhão enfrenta seus primeiros combates contra as tropas federalistas das regiões Sul e Sudeste.

Apesar do curto treinamento, todos se sentem preparados e animados. Sem dificuldade, rechaçam a tropa inimiga. Dali, Maria Soldado e seus companheiros avançam para Buri. Nova contenda. Durante o confronto, ela é baleada. Dói mais na alma que no corpo. Não quer deixar a frente de combate. Mas, levada para um hospital de Sorocaba, 11 dias depois, volta às trincheiras, em Itararé, enfrentando os inimigos de São Paulo.

Poucos, em seu batalhão, têm a valentia de Maria, que assume a liderança e leva os sobreviventes de sua tropa à vitória, perto da divisa com o Paraná. Arrasa os adversários, tão numerosos quanto mais bem equipados com o que há de mais moderno em armamento, nas primeiras décadas do século XX.

Pelo menos foi essa a história contada pelo locutor da rádio, ao narrar a "Saga de Maria Soldado", para estimular outras mulheres e mais negros a também tomarem de armas e cerrarem fileiras por São Paulo. Nem imaginava que a maior vitória de Maria foi, finalmente, entrar no rádio, que sempre ouviu com grande fascinação.

O jornal *A Gazeta*, de 5 de setembro de 1932, traz estampada uma nota de louvor, que ela guardou pelo resto da vida: *"Uma mulher de cor, alistada na Legião Negra, vencendo toda a sorte de obstáculos e as durezas de uma viagem acidentada, uniu-se aos seus irmãos negros em pleno entrincheiramento na Frente do Sul, descrevendo a página mais profundamente comovedora, mais profundamente cheia de civismo, mais profundamente brasileira, da campanha constitucionalista, ao desafiar a morte nos combates encarniçados e mortíferos para o inimigo, MARIA DA LEGIÃO NEGRA! Mulher abnegada e nobre da sua raça".*

Assim como surgiu, a heroína desapareceu. Depois da revolta, na hora do reconhecimento, lembraram de que ela era mulher.

— Não se dá patente militar a mulher, não é mesmo? — ironiza, no clube dos oficiais, um general que só faltou completar:
— Muito menos a uma mulher negra.

Quando a revolução acabou, Maria voltou para a cozinha da mesma família quatrocentona, onde trabalhou por algumas décadas mais, até que o peso dos anos já não lhe permitisse atender às infindáveis exigências dos herdeiros da finada patroa. Ela teve, sim, um momento de glória, nos festejos do Jubileu de Prata da Revolução Constitucionalista, em 1957. Aos 56 anos, recebeu o título de "Mulher Símbolo da Revolução".

Momento único na vida de Maria Soldado. Foi muito mais fácil enfrentar os inimigos na frente de combate que ficar naquele palco, em posição de sentido, ouvindo discurso após discurso, enquanto aguardava a merecida medalha. Toda vez em que se lembrava desse momento, tinha as mesmas sensações:

— Essa foi a maior emoção de minha vida. Mas emoção não enche barriga — comentava com uma amiga.

Queixa justa, pois, como a maioria dos combatentes, morreu pobre e esquecida.

— Foi o ano seguinte do jubileu. Dias antes, encontrei a Maria Soldado vendendo doces e salgados na porta do Hospital das Clínicas. Ah! Maria também recebeu uma homenagem na Câmara Municipal... póstuma, é claro! — ri tristonho o velho Tião, com seu humor mordaz.

23

Um encontro com sabor de desencontro

Miro sobe, pé ante pé, os degraus da escadaria de madeira da pensão, que gemem a cada passo. Chega ao terceiro andar e toca a maçaneta da porta de seu quarto. Está aberta. Um empurrão e... se escancara. Ambos se assustam: Miro, no corredor, e Neo, deitado na cama do amigo. Tenta levantar-se e derruba uma garrafa de cachaça, que se espatifa no chão.

— Neo!? O que faz aqui?

— Não briga comigo, amiguinho. Vim visitá-lo e como você não estava...

— Mas como me achou?

— Tia Berenice... contou que você escreveu e pediu pra eu te encontrar. Mandou essa cartinha.

Estende-lhe um envelope. Miro vai apanhá-lo, mas Neo o puxa de volta e o encosta no nariz.

— Hum!!! Cartinha cheirosa... sempre soube que titia gostava muito mais do afilhado que do sobrinho.

— Bobagem, Neo! Ela sempre nos tratou igual. Me dê logo essa carta!

— Calma, amiguinho! É isso que você falou, igual... mas eu não sou igual a ninguém. Você sabe que eu sou o único sobrinho dela, o único varão herdeiro dos Dalla Rosa... e você é apenas...

— Você está muito alterado... me dê a carta!

— Alterado... estou mesmo .. e não é à toa — entrega-lhe a carta.

Antes de abri-la, ouve de Neo:

— Eu vou me esconder aqui. Meu pai mandou seus capangas me caçarem por todo o país. Ele exige que eu me aliste no Exército Constitucionalista.

A voz empastada. Os olhos vermelhos, o cheiro de álcool. A garrafa quebrada no chão. Na fechadura a chave reserva do porteiro. Neo deve ter se identificado como seu amigo e depois, provavelmente, usado o nome do pai. A única forma de Severo, o porteiro da noite, entregar-lhe a chave seria o famoso "você sabe com quem está falando?" Miro tenta confortar o amigo.

— O que você esperava do major Nelópidas Dalla Rosa?

— Não é só o meu pai, não. Toda a aristocracia e a classe média paulista exigem que seus filhos cerrem fileiras por São Paulo. Mas eu não quero ser militar.

— Talvez eles tenham razão. São Paulo está em guerra. E a nossa obrigação...

— Não tenho obrigação nenhuma. Sou um artista, meu amigo. Minhas armas são as telas, os pincéis, as tintas. Não quero morrer, nem matar ninguém.

— Ah, meu amigo... você sempre tão fraco!

— E você? Com essa prepotência paulista?

— Calma, Neo! É tempo de guerra. Amanhã vou assistir ao comício da Legião Negra e...

— É. Se você quer lutar mesmo, de verdade, é nesse bando que deve se engajar. É o batalhão dos...

— Negros... diga, meu amigo... meu lugar é num batalhão de negros. Não precisa mais me tratar com melindres. Eu já sei como vocês me veem.

— Desculpe, Miro. Mas é isso mesmo. Não importa se você é mais claro ou mais escuro. Você tem que ter consciência de que sempre será um...

— Negro... Olha! Se quiser fugir, aproveite que os becos ainda estão escuros. Santos também está se mobilizando. Aliás, todo o estado de São Paulo. Quer dizer, todos não, quase todos... menos os covardes.

— Não precisa me ofender, Miro. Sempre te tratei com respeito. Eu vou embora, sim. E quer saber: meu pai e eu nunca nos entendemos. Mas numa coisa ele tinha razão. Vocês, quando não cagam na entrada...

O sangue sobe à face de Miro. Mas ele se contém. Abaixa-se e começa apanhar os cacos da garrafa de cachaça. Neo muda a atitude:

— Desculpa, meu irmão! Pode me chamar de... de bêbado... de qualquer coisa...

— Não vou te chamar de nada. Amanhã, eu vou me alistar com os pretos. Pretos! Não vermes!

— Foda-se! — berra Neo. Desnorteado, agita o corpo. Falta-lhe o ar. Quer sair dali. Lançar-se escada abaixo. Procura a saída. Volta-se! O olhar que lança a Miro é de ódio. Cambaleia, atravessa o umbral da porta, para, retorna e cospe para dentro do quarto.

Miro sente gana de agredi-lo, mas apenas bate com força a porta, contra esse elo com o passado.

Ainda trêmulo, apanha o envelope, abre e começa a ler a suave carta da madrinha. Como uma pessoa tão doce pode pertencer à mesma família do asqueroso major e de seu filho covarde? Um covarde que se sente tão superior aos demais só por ser um legítimo Dalla Rosa.

24

Em tempo de dizer sim, como negar?

O dia amanhece ensolarado e, apesar de a pensão ficar a alguns quilômetros do local do comício, Miro é acordado pelo som de fogos e de uma banda de música. Ao abrir a janela percebe que vários trabalhadores do cais e moradores das pensões em volta se encaminham para a direção de onde vêm aqueles sons.

Levanta-se lento, olha por todo o quarto, imaginando que a discussão com Neo tenha sido um sonho ruim e que o amigo tenha dormido enfurnado em algum canto. Mas não o encontra. Banha-se, barbeia-se e vai procurar John. Quer ver o que vai rolar. Tem certeza de que caminha ao encontro de seu futuro.

A praça está em polvorosa. Sobre um palanque, um grupo de homens e mulheres negros discursa para uma massa também formada, na maioria, por mulheres, homens e crianças negras dos mais variáveis matizes. Comício festivo. As palavras "paulista", "ditadura", "constituição", "hegemonia", "homens e mulheres de cor", "raça negra" se repetem. Numa grande mesa, junto ao palanque, seis pessoas preenchem as fichas dos voluntários, que se alistam para a Legião Negra.

Ao lado do doutor Joaquim Guaraná Santana, em um terno marrom amarfanhado, o professor Vicente Ferreira exibe o porquê da fama de ser um dos maiores oradores do País. Anos depois, o jornalista José Correia Leite o descreverá como: "um negro intransigente e amargo, um místico, um gênio, um homem que não tem cultura acadêmica, mas não fica devendo nada a ninguém".

Entre as mulheres no palanque, está a bela Palmyra Calçada, madrinha da bandeira da Legião Negra. Declama versos, sorri, acena e lança beijinhos ao povo. Integra a caravana que busca voluntários e arrecada donativos para ajudar as famílias dos combatentes. De Santos, vão seguir para Campinas e, depois, percorrer todo o interior do estado.

Guaraná espera cumprir as promessas que fez ao comando pré-revolucionário: "O povo negro paulista vai cerrar fileiras em torno da causa constitucionalista". Juntamente com Ferreira, sentem que valeu a pena romper com a Frente Negra Brasileira, depois de o presidente Arlindo Veiga tê-los desautorizado a realizar negociações em nome da entidade.

— A Legião Negra mostrará a força dos homens de cor de São Paulo — berra uma senhora no palanque, mas Ferreira a corrige:

— Negros, minha irmã, os negros de São Paulo.

Miro não tem dificuldade para encontrar John. O jamaicano está eufórico, encostado ao palanque, e parece entender todas as palavras. Em seu país, nunca aconteceu nada parecido, nem mesmo nos EUA.

Ao avistar Miro abrindo caminho na multidão, em sua direção, John berra:

— Hello, my friend! Watch it! It's wonderful![45]

O deslumbramento de John é o mesmo de Miro, que se aproxima e ambos se abraçam. Imediatamente o brasileiro começa a traduzir e a explicar o que é dito pelos manifestantes. Quanto mais explica, mais John se identifica, mais se empolga. Impressionado não só pela agitação, mas também pela qualidade dos discursos, o ex-enfermeiro vê cair por terra definitivamente todo o

---

45. Olá, meu amigo! Veja isso! É maravilhoso!

preconceito que nutria até então. Pela primeira vez na vida, ele não associa a palavra "negro" a nenhuma das coisas que deplora.

Perto deles, um homem alto e forte, de cabelos grisalhos, brada os *slogans* todos e responde a todos os brados vindos do palanque. Na primeira oportunidade, ele corre à fila de alistamento. Passa seus dados à moça, que preenche a ficha, mesmo antes de ela perguntar:

— Agora, senhorita, por favor! Eu quero também alistar meu filho.

— Impossível, meu senhor! O engajamento é voluntário e pessoal. Seu filho terá de vir aqui, se quiser realmente se alistar — explica a jovem.

— Mas ele é meu filho. Faz o que eu quiser. E eu quero que lute, a meu lado, por São Paulo.

— Perdão — diz a voluntária. — Queremos arregimentar um grande número de combatentes, mas não podem vir por imposição. Somos todos voluntários. O nome já diz. Precisa vir por vontade própria.

Muito nervoso, o homem se afasta. Acompanhando a cena, Miro se sensibiliza com aquele patriota, de quase 50 anos. Um exemplo que o motiva a também se alistar.

Assim, ele entra numa das filas e John também o segue, numa fila ao lado. O enfermeiro chega antes à mesa e dita seus dados à moça para o preenchimento de sua ficha. Ele assina o formulário e recebe uma senha para se apresentar, três dias depois, no quartel do Corpo de Bombeiros de Santos, onde irá receber a farda, botas e equipamentos para embarcar com outros voluntários para São Paulo. A jovem explica que as armas eles só receberão na sede da Legião, na Chácara do Carvalho.

John não tem a mesma sorte. Não fala português e a alistadora não sabe o que fazer. Miro se aproxima e explica a ela que o jamaicano também deseja alistar-se. Ela não tem instruções para o caso de estrangeiros. Usa a palavra *stranger*, que quer dizer estranho em inglês.

E John berra para a moça que não há nada de estranho. Que ele é africano, como ela, e apenas foi colocado pela diáspora outro país:

— We all have the same blood! Black blood!! — explode.[46]

A jovem não entende nada, mas Miro traduz. Constrangida, a alistadora pede que aguardem ali. Vai até a borda do palanque e sussurra algo ao ouvido de Vicente Ferreira. O professor ouve com atenção, enquanto a jovem aponta para onde está o jamaicano. Ferreira o observa e também fala ao ouvido da moça. Ela retorna e pede que a acompanhem. Ferreira quer falar com eles.

Atrás do palanque, são recebidos por Guaraná Santana, Vicente Ferreira e o "Delegado-Geral". Miro conta a história de John e informa sua ligação com o movimento de Marcus Garvey, afirmando que ele também tem contatos com os pan-africanistas, de Du Bois. Imediatamente, os três se interessam pela história e passam a falar diretamente com o jamaicano. O inglês é uma língua que os três dominam.

Miro fala da proposta de traduzir e publicar artigos sobre esses pensadores e outros de interesse para a população negra. Guaraná apoia a ideia e afirma que, ao voltarem vitoriosos da guerra, pode lhe arranjar um bom emprego no funcionalismo público. Isto lhe foi garantido pelo comando da Revolução: "os voluntários negros serão recompensados à altura, por lutar ao nosso lado".

— Se gostas de escrever, podes participar da elaboração de vários periódicos. A própria Frente Negra deve lançar, em breve, seu jornal *A Voz da Raça*.

— E quanto ao meu amigo?

— Hum... o caso dele é mais peculiar. Mas, se ele quer realmente nos acompanhar, daremos um jeito — promete o advogado santista.

— Mas, Guaraná, a legislação não permite o alistamento de estrangeiros. O que imagina que possamos fazer? — indaga Ferreira.

Um ajudante de ordens, cujo nome Miro não ficou sabendo, apresenta uma solução:

— É só arranjar documentos falsos pra ele.

---

46. Todos temos o mesmo sangue! Sangue negro!

Delegado-Geral, o terceiro no comando das manifestações da Legião Negra, alerta os companheiros:

— Mas tem um problema: o que fazer com a língua dele? É ele abrir a boca para se trair.

Um instante de silêncio. Miro tem uma ideia:

— E se John emudecer?

— Como assim? — indagam atônitos, ao mesmo tempo, os três militantes.

— Ele não quer estar ao nosso lado? Terá de fazer voto de silêncio, como algumas freiras e monges. Ou se trairá e acabará extraditado. Só precisa não abrir a boca.

John, ansioso, implora que lhe traduzam o que estão conversando e Miro lhe explica e ele ouve atentamente. Sorri e comenta:

— Yes. These will be my last words.[47]

Ali mesmo, comunicando-se por gestos, John se transforma em João Marcolino Ferreira, nascido em Tambaú e mudo de nascença. Miro se responsabiliza pelo seu alistamento.

Os líderes voltam ao palanque. Os discursos inflamados continuam. Empolgado, John não arreda pé. Miro prefere se retirar e digerir sozinho essa sensação de dever cumprido. Despedem-se e combinam de ir juntos buscar as fardas, lá no Corpo de Bombeiros. Enquanto se afasta, Miro vê o homem alto de cabelos grisalhos voltando. Puxa pelo braço um garoto de 18 anos, nada satisfeito com aquela situação.

— Mas pai, não quero ir para a guerra.

— Você vai, sim. Você é meu único filho homem. Não posso exigir isso das quatro meninas. De você eu posso. Vamos defender, juntos, o nosso estado.

Curioso, Miro os segue de volta até junto à mesa de alistamento, onde o jovem se identifica:

— Luvercy Tarquínio de Moraes. Nasci em 21 de março de 1914. Terminei o ginásio. Moro na Rua Professora Maria Alice de Andrade, 327, Jabaquara. Aqui em Santos mesmo...

---

47. Sim. Estas serão minhas últimas palavras.

Fornece numeração de seus documentos e dá os nomes dos pais, que terão direito a algum ressarcimento, caso algo lhe aconteça. Diz não ter nenhuma prática em artilharia, nenhum conhecimento militar, nem mesmo de cozinha ou enfermagem

— Sou esportista, moça! Quero jogar futebol.

Miro sente pena do garoto. Lembra-se do drama vivido por Neo. Até abranda seu coração com relação ao amigo: "Por mais nobre que seja a causa, ninguém deveria ser obrigado a levantar nenhuma bandeira". Enquanto se afasta, sente uma mão pesar sobre seu ombro direito. Assusta-se, para e, ao olhar para trás, reconhece o advogado Santana:

— Você deveria integrar nossa caravana. A Legião Negra precisa de pessoas com talento e boa formação. Amanhã mesmo vou pedir ao major Gastão Goulart e ao tenente Arlindo Ribeiro que você receba logo a patente de cabo e seja colocado à disposição do comando civil da Legião.

Miro se emociona e se imagina fardado, voltando a Marilândia Paulista, onde arregimenta voluntários para formar mais um batalhão. Em sua fantasia, milhares de pessoas negras da cidade chegam correndo para se alistar, gratas pelo que o "doutor" lhes fez no passado.

Momento de euforia. É a guerra civil brasileira sendo germinada e forjando seus futuros heróis. Sem heróis e mártires não se constrói a história.

25

Tantas perdas! Quem ganha?[48]

Guerra é dor, desespero, sangue e destruição. Mas não só. Sempre tem quem descobre como tirar vantagem. Num ponto distante da capital, perto do Mato Grosso, dois jovens soldados da Legião Negra perderam-se de seu grupo. Desnorteados, caminharam léguas por aquele mar de morros, à procura dos companheiros, numa busca vã e muito cansativa.

— Acho que não vamos achar eles, Barnabé.

— Vamos, sim, Dito. Alguém viu o nosso pelotão passando em algum lugar.

— Olha um carroceiro, ali.

— Ei, senhor! Senhor! O senhor viu passar por aqui um batalhão só com soldados pretos?

— Vi, não. Mas ontem de noite, na margem do rio, teve um tremendo tiroteio. Morreu gente de montão.

— É melhor a gente descer lá, Dito. Podem ser os nossos companheiros.

---

48. Este capítulo é inspirado em um conto publicado na obra *Tudo por São Paulo*, de Horácio de Andrade.

Os dois correm na direção indicada e, ao chegar, veem uma grande quantidade de corpos fardados espalhados por todos os lados. São de um batalhão do Exército Federal. Homens brancos e negros, todos mortos, provavelmente numa emboscada.

De repente, Barnabé se abaixa e começa a afrouxar o cadarço das botas de um dos cadáveres.

— O que você está fazendo, Barnabé?

— Tô pegando as botas desse infeliz.

— Você tá louco, homem?

— Louco por quê? Ele não precisa mais delas.

— Sim, mas você não pode...

— Posso sim. Pé de pobre não tem tamanho. E olha que botas bonitas!

— Sim, mas e daí?

— Daí? Olha as nossas... pesadas, parecem um pedaço de pau. E mesmo assim, a sola da minha toda esburacada. E esse couro duro engessa o pé. Os meus estão que é só bolhas e feridas. Veja essas, que macias!

— Mas não presta roubar sapato de morto.

— O que não presta é sofrer tanto. Correr o risco de uma gangrena. O que não presta é deixar essas belas botas aqui, apodrecendo com o cadáver.

— E você não tem medo que o espírito do morto venha te atormentar?

— Não... eu sempre peço perdão pro falecido e faço o sinal da cruz, três vezes, antes de pegar as botas.

— Sei não. Eu tenho medo de assombração.

— Se alguma assombração tivesse de me atormentar, Dito, não ia ser a desse presunto aí. Faz muito tempo que pego botas de soldado morto. Desde a revolução de 1924, lá mesmo na capital... E em 1930, então? Que belas botas garimpei nos campos de batalha! Me defendi, vendendo as sobras, no tempo de paz.

Demonstra, então, seu profundo conhecimento do assunto: as melhores são as dos oficiais, mas essas são mais raras.

— General morre de velho, na cama. Se o morto vem do norte, nem pensar. São que nem cangaceiros, só usam sandália grossa ou alpercata.

— Credo em cruz, mangalô treis veis... Deus que te perdoe! — benze-se Dito, diante do riso do amigo.

Barnabé tira as botas de outros dois mortos. Calça um dos pares e amarra os outros dois, pelos cadarços, colocando-os no ombro, como se fosse um embornal. Apanha a arma e demais apetrechos. Depois, olha para o amigo, ainda apavorado. E ordena:

— Avante, soldado! Temos uma guerra pra vencer!

Enquanto caminham, Dito não poupa o companheiro de uma boa reprimenda:

— Gente como você, Barnabé, que é culpada da má fama de todos os pretos. Por isso desconfiam de nós. Somos sempre suspeitos de tudo. Desse jeito, nunca vão tratar a gente com respeito. Por causa de vocês, chamam todos os pretos de vagabundos e de ladrões.

— Que isso, Ditinho! Puro preconceito! Isso é racismo, discriminação. Isso não é roubo. É expropriação.

— Expropriação?

— Isso mesmo. Ouvi essa palavra quando era engraxate, na porta do Ponto Chic. É como os estudantes de Direito falam quando quer tomar algum do outro.

— Roubo ou expropriação, vocês são os culpados do preconceito todo dessa gente contra nós.

— Nada disso. O preconceito deles é só deles. Não tenho nada com isso. Olha, Dito, se a gente roubar ou não, sempre vão dizer que foi a gente.

Estão ainda conversando e caminhando, quando ouvem, distante, uma grande quantidade de estampidos e explosões. Param e olham em volta, apreensivos. Correm para esconder-se num arvoredo à beira da estrada. Os sons persistem, mas se distanciam. O combate está a alguns quilômetros, rio abaixo.

O tiroteio cessa. Eles encontram uma gruta num morro próximo e decidem dormir ali. O sono é agitado e cheio de interrupções. Mas o local parece seguro.

Pela manhã tudo está calmo. Os dois apanham os próprios pertences e Barnabé, claro, não se esquece de levar suas botas reserva. Descem o morro e chegam a uma estradinha de terra que ladeia o rio. Mais à frente, encontram um barqueiro amarrando sua canoa num pequeno arbusto.

— Bom-dia, moço, cumprimenta Ditinho.

— Bom-dia!

— Sabe onde teve um combate ontem à noite?

O barqueiro se limita a apontar na direção de uma pequena clareira depois de um trecho de mata fechada, perto de uma curva do rio repleta de rochas.

— Por acaso, mais cedo, passaram outros soldados por aqui? — indaga Barnabé.

— Passou, sim. Faz uma meia hora. Era uma tropa inteira e também foi nessa direção.

— Era uma farda da mesma cor da nossa?

— Igualzinha a de vocês.

— E eram soldados pretos? — pergunta Dito.

— Não, senhor. Eram todos brancos.

Os dois se olham, com uma expressão de decepção na face, e Barnabé diz:

— Tudo bem, ainda não achamos a nossa tropa. Mas, pelo menos, estes estão do nosso lado.

Seguem na direção indicada, na esperança de obter informações sobre seu pelotão.

— Vamos aproveitar e passar no campo de batalha — comenta Barnabé. — Quem sabe morreu algum oficial com suas belas e macias botas.

— Barnabé, você não tem juízo! — repreende Dito. — Nunca vai se emendar. Olha lá! Foi ali a batalha.

— Foi mesmo. Veja! Só tem os mortos. O batalhão de São Paulo passou rápido e foi embora.

Barnabé desce na frente, quase correndo, e o companheiro o segue devagar. De repente, Dito ouve o outro rindo. O riso começa baixo, mas vai crescendo e fazendo eco nas montanhas. Quando se aproxima, tem uma grande surpresa: diante deles, cobrindo o solo, há um número imenso de cadáveres de ambos os exércitos. E todos estão descalços.

Barnabé domina o riso, olha para Dito e pergunta:

— E nós, pretos, é que somos os ladrões, né?

Ambos fazem o sinal da cruz, pedem perdão aos mortos pelos saqueadores que os antecederam e partem para não incomodar mais os espíritos dos mortos. No caminho, riem muito. Até lhes doem as barrigas. Descem o rio gargalhando, feito dois alucinados.

26

Em nome do pai, do filho...

Numa casa humilde, num bairro periférico, na Baixada Santista, Arminda se põe de joelhos diante do pequeno altar montado num cantinho do quarto. Acende uma lamparina votiva, diante da imagem de São Judas Tadeu, protetor dos desesperados. Em suas orações pede ao santo que traga de volta, ilesos, o marido e o filho.

Uma a uma, suas quatro filhas se aproximam e se ajoelham ao lado da mãe para a reza familiar. Apenas murmuram suas orações. São caladas, quase ausentes, quase invisíveis, nessa casa de cinco mulheres, em cujo alicerce estão os dois homens. À mente da Arminda vêm cenas que antecederam a partida dos dois. Orlando, o estivador, grande e forte, vê na revolução uma maneira não só de melhorar a própria vida, mas principalmente a do filho Luvercy. E, através deles, a da família.

— Você estudou, meu filho, primário e ginásio. Coisa que nem sua mãe e nem eu, nem suas irmãs conseguimos fazer. Você tem que ser alguém na vida. Aí, nós podemos casar as meninas. O Exército vai...

— Pai, eu sou esportista.

— Desde quando esporte é profissão? Não é e nunca será. E quer virar o quê? Vagabundo?

— Vou jogar futebol profissional, pai.

— E Friedenreich? Arthur Friedenreich. Ele não joga futebol? A estrela do São Paulo Futebol Clube, filho de uma negra com um alemão. Está lá no Batalhão Esportivo.

— Ele tem 40 anos, pai. É um dos maiores ídolos nacionais do futebol. Talvez nem vá para a frente de batalha. Usam a imagem dele para atrair mais voluntários.

— E daí? Você tem 18. Está em plena forma. Os constitucionalistas prometeram ajudar as famílias de todos os combatentes. Na volta, depois da vitória, nós vamos ter emprego e, mais que isso, respeito.

— Eles não querem a gente nas suas escolas, nem nas firmas deles. Só pra serviço de peão, trabalho pesado, como o seu, nas docas. Nem em seus batalhões querem a gente. Por isso criaram batalhões só para os pretos e inventaram essa tal Legião. É ou não é verdade?

— Isso é. Mas isso também vai acabar, com a vitória da revolução.

— Será?

Enquanto pai e filho discutem, as quatro meninas ficam caladas, cada uma num afazer, sem se intrometer. Arminda corre a acender velas para os anjos da guarda dos dois. Coloca cada vela num pratinho em frente a um copo com água. Pede que os anjos os ajudem se entenderem.

— Vocês são cabeça-dura! Parem com essas brigas. Não é à toa, Luvercy, que aquela mulatinha, a Glorinha, não quer saber de você.

— Não, mãe! Glorinha, como a maioria das pretinhas daqui, não me quer porque eu sou preto. Sonha em casar com um homem branco, que lhe dê uma vida melhor do que eu posso dar.

— Ah! Isso é mesmo assim. Se for branco, não precisa mais nada. Nem inteligência, nem dinheiro, nem carinho, nem ser trabalhador. E se o peão tiver olho azul, então, e cabelo amarelo, pode até ser vagabundo. Elas lavam privada dos outros, para sustentar eles. Essa gente é assim: só pensa em clarear a família, para ganhar *status social*.

Quando soube do comício da Legião Negra, na praça em frente à praia, Orlando correu alistar-se, apesar da idade. Chegou correndo em casa e arrastou o filho, contra a vontade dele.

— Meu pai acredita que, um dia, vão aceitar a gente como um deles, mãe. Não vão, não.

— Se a gente lutar ao lado deles e defender os mesmos ideais, não vão conseguir negar o nosso valor.

— Eles já tiveram quatro séculos para descobrir o nosso valor. Foi pouco? Nosso valor, pra eles, era só o quanto podiam lucrar quando nossa gente era escrava. Já esqueceu que quando o velho Seraphim morreu, seu avô foi dado de herança pro filho dele, que era padre? Como era mesmo o nome dele?

— Padre Gervásio...

— Isso. O caridoso padre Gervásio. Um santo, mas não abriu mão da herança. E sua avó? Eles a mandaram lá pro Sul, para a irmã do padre, casada com um coronel. Nem se importaram que o casal tinha doze filhos. Era direito deles. As crianças serviram para quitar as dívidas. Seu pai, por exemplo, foi entregue ao administrador do cemitério como paga pelo enterro do velho Seraphim. Não tivesse fugido pro Quilombo do Jabaquara[49], sabe Deus, pra quem seria vendido.

Orlando sente vontade de chorar, ao lembrar do pai contando essa história. Ele consegue se controlar. A mulher e as filhas, não. As lágrimas rolam por suas faces, mas no mais absoluto silêncio. Não querem que os dois percebam que, mesmo sem terem vivido esse drama, isso até hoje dói em suas almas.

— Nem nossa força de trabalho é respeitada, pai. Eles nos exploram até hoje, à base de chibatadas. Já esqueceu o que aconteceu, há pouco mais de 20 anos, na Marinha, lá no Rio? — conclui Luvercy.

---

49. Um dos maiores quilombos do Brasil, ficava na cidade de Santos (SP) e foi criado no início da década de 1880. Seu líder mais proeminente foi o sergipano Quintino de Lacerda, primeiro vereador negro do país.

Não. Ele nunca esquecerá do marinheiro João Cândido, o Almirante Negro, e seus companheiros da Revolta da Chibata. Festejou a insubordinação deles. Mas, agora, não pode ceder aos argumentos do filho.

— Você parece um daqueles comunistas do sindicato — berra Orlando. — Querem é ver sangue, desemprego. E pra São Paulo, pior que a covardia de não se engajar na revolução é ser comunista.

— O pior, pai, é que a gente vai matar gente preta como nós, a maioria no Exército Federal. Um monte de pobres e pretos fardados. Enquanto os oficiais brancos estão seguros. Desde a Guerra do Paraguai, quando prometiam a alforria para os que voltassem vivos, é assim. Não cumpriram, como também não vão cumprir as promessas dos dias de hoje.

Arminda não suporta mais essas discussões. Chama as meninas e sai para o quintal para lavar as roupas de seus clientes, algumas das melhores famílias da sociedade santista.

Landão, como o chamam lá no cais, vê as camisas de cambraia e as calças de casimira e sonha ver o filho vestido nesses trajes. Olha a grande quantidade de peças brancas, que fazem doer a vista, dependuradas no varal, e comenta:

— Nenhuma lavadeira da Baixada engoma tão bem quanto sua mãe. Parecem roupas de anjos — segreda orgulhoso no ouvido do filho. — Por isso te levei para se alistar, Luvercy. Quando tudo terminar, quero você nesses trajes, trabalhando em escritório, funcionário público, na mais alta letra da categoria.

Só no dia em que os viu fardados, arrumando as mochilas para apanhar o trem, que os levaria a São Paulo, Arminda se deu conta do que estava, realmente, acontecendo. Aí, não conseguiu mais parar de chorar.

— A benção, mãe!

— Tome conta de seu pai, meu filho.

— Deixe comigo, mãe. Se ele sair da linha, puxo a orelha.

— Você sabe do que estou falando. Eu sei que terá cautela. Mas ele está muito empolgado com essa revolução e, Deus o livre, pode abusar.

— Pode deixar, não tirarei os olhos de cima dele.

27

Um país se faz com homens e jornais

As lembranças do velho Tião o levam da guerra para seus dias na Chácara do Carvalho. Num domingo em que estava de sentinela, viu o tenente Raul Joviano do Amaral conversando com Miro Patrocínio. O oficial avisa o ex-enfermeiro recém-chegado de que ele irá integrar a caravana que percorrerá seis cidades do interior, arregimentando voluntários. Com ele, irá o soldado mudo. O tenente confirma que o mudo também foi requisitado pelo comando civil para seguir na caravana.

— Vocês retornam, poucos dias antes de embarcarem para a linha de frente, no Vale do Paraíba.

Enquanto caminham entre os legionários, em treinamento, Joviano resume a Miro a história da Frente Negra e confessa:

— Me afastei para lutar, mas ainda sou um frente-negrino. Temos núcleos em vários estados. Em breve nos tornaremos um partido político. No Rio, o Doutor Guaraná Santana fundou o Partido Radical Nacionalista. Mas acredito que essa agremiação, apesar dos bons propósitos, está fadada a ter vida curta, com esse nome e a tendência fascista.

O pensamento de Miro agora baila entre seu passado, renegando essa raça que considerava inferior, e o desejo de conhecer mais profundamente tudo o que se refere às organizações negras.

— Escrevi muitos artigos para jornais. Depois dessa revolução, quero atuar na área de comunicação.

— É mesmo? Conhece algum dos nossos?

— Nossos? Como assim?

— Sim, os jornais da imprensa negra. Por exemplo, *O Menelick*, fundado em 1915?

— Confesso que desconheço. O doutor Guaraná Santana me convidou para colaborar num jornal que deve surgir em breve. Mas, tenente, eu jamais imaginei que os negros já tivessem publicado algum jornal.

— Pois publicamos, sim. E não foram poucos. Só aqui em São Paulo foram lançados vários. Quer ver? Em 1916, foram *A Rua* e *O Xauter*; em 1918, *O Alfinete*; em 1919, *O Bandeirante* e *A Liberdade*; em 1920, *A Sentinela*; em 1922, *O Kosmos*; em 1923, *O Getulino*; em 1924, um dos maiores, *O Clarim d'Alvorada*, e também o *Elite*; em 1928, três: o *Auriverde*, *O Patrocínio* e *O Progresso*; neste ano de 1931, *A Chibata*. E, se Deus quiser, no ano que vem a Frente Negra vai lançar *A Voz da Raça*, que estou ajudando a idealizar.

Joviano comenta que esse novo jornal terá muito espaço para as ideias patrianovistas do presidente da Frente. Miro promete a si próprio que, na volta, vai à Avenida Liberdade conhecer a sede da Frente Negra. Quer se oferecer para escrever artigos patrianovistas, com estilo e elegância.

Miro, que não se importava em morrer no campo de batalha, agora anseia voltar vivo para ajudar a engrandecer o povo negro de seu País. Pensa nos negros americanos:

— Eles não têm limites. Estudam, publicam livros, criam empresas, negociam entre si e conquistam o poder. Há um longo caminho a trilhar para conquistarmos a nossa verdadeira e definitiva liberdade.

Na segunda-feira, ele e o amigo John apanham os próprios pertences e embarcam na jardineira, em que se encontram os integrantes da caravana da Legião Negra. Seguem para Santana do Parnaíba e, depois, para Pirapora do Bom Jesus. Lá, aproveitam a festa do padroeiro para montar o palanque próximo ao barracão, onde o samba come solto. Ali estão os negros, não na procissão. Os instrumentos se calam para que todos ouçam o que aquela negrada elegante tem a falar. Discursos breves e, logo, as filas de alistamento estão lotadas. Alistam-se, mas voltam pro samba, "que ninguém é de ferro".

De lá, a caravana segue para São Roque a caminho de Sorocaba. Novo comício, arregimentação de voluntários e coleta de donativos para ajudar as famílias dos combatentes. No dia seguinte, porém, a caravana é interrompida e a jardineira retorna a São Paulo. Miro não sabe o porquê. No quartel os voluntários são informados de que o doutor Guaraná Santana já não é mais o comandante civil da Legião Negra. Foi substituído pelo advogado José Bento de Assis, professor de Latim da Faculdade de Direito, do Largo de São Francisco. Ninguém revela o motivo da substituição. Também não dizem que Assis nunca se interessou por nada que se relacione com os negros, mas foi obrigado a aceitar o cargo para não perder a cadeira acadêmica.

Surgem os boatos: Guaraná desviou dinheiro de doações à Frente; envolveu-se com a mulher de alguém muito importante; revoltou-se contra o tratamento dados aos legionários pelo comando branco. Nada é confirmado. Ao contrário, ele continuará liderando a caravana pelo interior e litoral paulistas e conquistando novos voluntários e muitas doações.

Mesmo com a mudança no comando civil, a solicitação de Guaraná foi atendida: o comando militar deu a Miro a patente de cabo. E, por sugestão do novo cabo, o soldado mudo foi oficialmente destacado para acompanhá-lo aonde for.

— Sou o único com quem ele consegue se comunicar — explica o cabo Miro. — Ele é corajoso e quer demais participar da luta constitucionalista.

No mesmo dia de seu retorno à Chácara do Carvalho, o cabo Miro conhece o soldado malandro, Tião, e seu amigo Bento, que vive se penteando. Sempre perfumado, dorme com uma toca feita de meia de seda feminina. Tião e Bento costumam fugir da formação e se esconder para tirar um cochilo, mas Miro se diverte com eles. Impossível puni-los.

Dias depois, Miro reencontra o jovem Luvercy. Empatia imediata. O cabo apresenta aos novos amigos seu ajudante de ordens, o soldado mudo João Marcolino. Mudo, mas sempre atento a tudo que se passa e, através de sinais, vai dando força aos demais, durante os exercícios. Os cinco passam, juntos, o máximo de tempo possível, não mais que o suficiente para não comprometer a hierarquia.

28

Soldado, cabo, sargento

Em menos de um mês, Teodomiro recebe a patente de primeiro-sargento e é encarregado de levar uma tropa ao Vale do Paraíba. John, sempre sorridente, diverte-se com esse leilão de patentes. Não que Miro não merecesse, mas elas parecem ser distribuídas, apenas, conforme a simpatia do agraciado e a conveniência dos comandantes.

Na manhã da partida, todos se reúnem no pátio e são apresentados ao padre Franz Mathäus. Com forte sotaque alemão, ele reza a missa em latim. Na hora do sermão, aproveita para criticar as manifestações religiosas herdadas dos africanos:

— Não há outra religião que a de Jesus Cristo. Todo o resto é bruxaria, macumba, feitiçaria. Vocês têm que fugir dessas seitas que cultuam o diabo, o demônio, Belzebu, o demo, o chifrudo, o cão... Por isso...

Quase imediatamente, um soldado começa a se agitar, se contorcer e a falar uma língua estranha para o padre. Está incorporado.

— É o Tonhão! O Tonhão da Casa Verde incorporou! — comenta um soldado ao colega do lado.

— Eu conheço ele. A mãe dele tem um terreiro de umbanda, não tem? — lembra outro.

— Tem, sim. Ele é filho de Ogum. E recebeu um caboclo — insiste o primeiro, que o conhece melhor.

— Eu sei. É o caboclo Pena Branca. Já fui lá no terreiro da mãe dele. E vi coisa que até Deus duvida. Acho que até vou lá perto dele tomar um passe.

O padre fica furioso ao ver o homem incorporado e pedindo charuto. Dá-lhe um banho de água benta e inicia um procedimento de exorcismo, para expulsar o capeta do corpo daquele "possesso". Nada consegue.

Outro soldado pede licença a seu oficial e sai da fila. Aproxima-se de Tonhão, segura sua cabeça, com uma mão na fronte e outra na nuca. Fala algo junto de seu ouvido direito. Em seguida, sopra-lhe o outro ouvido e, imediatamente, o homem desincorpora. Todos riem, pois o padre demonstrou incapacidade para lidar com algo, aparentemente, tão simples.

O resto do sermão é enraivecido. O padre avisa que irá com eles, como capelão, ao campo de batalha. Não quer ver velas, charutos ou despachos nos acampamentos, nem guias e patuás, nos pescoços e bolsos dos combatentes. Deseja que todos se tornem verdadeiros cristãos, tementes a Deus e devotos da Virgem Maria.

Os voluntários oram, cantam hinos, benzem-se. Na madrugada, porém, antes da alvorada do dia da partida, o padre acorda com sons de atabaques e pontos de Umbanda, vindo do dormitório da tropa. E comenta consigo:

— É samba. Esses negros gostam mesmo de bater tambor. Vivem sambando. Temo que o Senhor não despeje suas benções sobre esses gentios. Acho que esse batalhão não volta. Eu voltarei sozinho.

O batalhão voltará, sim. Ao menos parte dele. John será o primeiro. Um dia, lá pelas bandas de Lavrinhas, cidadezinha vizinha de Cruzeiro no Vale do Paraíba, o jamaicano foi banhar-se num córrego muito agradável, de águas cristalinas. Aquela paisagem bucólica lembra-lhe uma antiga canção, um belo *spiritual* que cantava na escola dominical. Olha de um lado e do outro, temendo que haja alguém por perto:

Michael row the boat ashore, Hallelujah!
Michael row the boat ashore, Hallelujah!
Jordan's river is chilly and cold, Hallelujah!
Chills the body but not the soul, Hallelujah![50]

Ensaboa-se, sussurrando a canção. Mergulha e ao colocar a cabeça para fora, sente-se como se estivesse no coral da Igreja Batista de seu bairro, da qual era solista. Por isso solta sua voz de tenor a plenos pulmões:

Michael row the boat ashore, Hallelujah!
Michael row...

Curioso, o sentinela desce à margem do riacho e descobre que o mudinho não só fala, como canta muito bem. Antes que Miro possa interferir, ele denunciou o "mudo" ao oficial maior.

Furioso, o comandante dá voz de prisão a John:

— Ninguém pode enganar o comando do batalhão. Ainda mais quando o comandante sou eu, o capitão Trujilo Marcondes Salgado.

Miro argumenta que, apesar da mentira, Jonh é um combatente valente, que dizimou dezenas de inimigos e merece condecoração por bravura. Tudo em vão. Trujilo não arreda pé. Sua autoridade é muito mais importante.

Preso, o jamaicano é levado de volta a Santos para ser encaminhado à corte marcial. Aguardará a conclusão do processo de extradição, encarcerado num presídio militar em Santos.

Por todo lado, estrondos, gemidos, desespero, berros de comandantes, com estratégias improvisadas. Na falta de munição, o comandante de um batalhão, à margem oposta do Rio Paraíba do Sul, tem uma ideia "genial": distribui matracas a seus comandados, para produzirem sons semelhantes ao de disparos de

---

50. "Michael rema o barco, firme, como em terra, Aleluia!/ Michael rema o barco, firme como em terra, Aleluia!/ O Rio Jordão é frio, gelado, Aleluia!/ Congela o corpo mas não a alma, Aleluia!"

metralhadora. O inimigo fica impressionado e recua. Mas a farsa logo é descoberta pela tropa mineira, aliada dos federais. Eles retornam e arrasam os "matraqueiros". Festejam, dançando entre cadáveres e prisioneiros, usando as matracas para zombar da tropa paulista.

Dez dias depois daquela missa, cada um no pelotão de Miro, na margem oposta do rio, sente na pele a real diferença entre o céu e o inferno, entre treinamento e combate. Com o inimigo por todos os lados, eles se deslocam entre Lavrinhas e Queluz, na divisa dos três Estados: São Paulo, Rio e Minas. Disparos, rajadas e explosões. Partindo a cavalo, com seu ajudante de ordens, na busca de um ponto para montar o rádio e o telégrafo, o capitão Trujilo brada:

— Calma, gente! São os nossos massacrando os macacos de Vargas e a mineirada toda.

— Como ele sabe? — sussurra Bento.

— Eles sempre sabem — comenta Tião. — Se não sabem, sabem o que querem que a gente saiba.

É quando Miro intervém:

— Tudo bem. Sabendo ou não, vamos em frente. Nossos ou deles, tanto faz. O fogo amigo mata tanto quanto o inimigo. Vamos seguir a noroeste, por esse mar de morros, até podermos observar sem ser vistos.

— E então, sargento? Qual é a ordem? — indaga um cabo de olhos esbugalhados.

— Uma só: sobrevivam!

Mal é dada essa ordem, a noite é rasgada por longas riscas de fogo provocadas pelas rajadas de metralhadora giratória, instalada no cocuruto de um morro. Correria geral. Cada um procura algo sólido atrás do qual possa se esconder. Outra metralhadora em outro ponto vomita fogo. Outra mais... um estrondo.

— Canhão! Por que São Paulo não me deu um canhão? — pensa Miro.

Minutos de pavor que parecem horas, meses. Uma pausa nos sons prenuncia a hora do revide. A tropa responde aos tiros, disparando para todos os lados. A esmo, na sorte. Apesar do pavor, dá até vontade de sorrir, quando se dispara um tiro e, em seguida, se ouve um berro. Para o atirador é sempre um regozijo:

— Acertei mais um!

— Morra, maldito!

— Essa é por São Paulo!

— Aqui é a raça negra!

Ali, às margens do Rio Paraíba do Sul, a vida atinge o extremo da banalização. Mas não foi o que aconteceu com Tião. No meio do combate está mais preocupado em proteger a si e aos companheiros do que em matar quem quer que seja.

— Por isso que sua munição dura mais, não é, Mão Grande? — berra Orlando, pai de Luvercy.

— Não tenho nada contra ninguém, Landão.

— Nem eu. Mas eu luto é por São Paulo, nego! Pela nossa liberdade — grita enquanto atira sem parar.

Com a prisão de John, o quinteto se desfalcou. Como Orlando estava sempre por perto do filho, acabou se juntando a eles, para dar bom exemplo para o seu menino, outro que também não quer matar ninguém.

— Nem parece meu filho! Nem parece negrão! Vem, Luvercy! Atira nos macacos!

Luvercy troca olhares solidários com Tião e atira, para um ponto em que imagina não haver ninguém.

Bento, como Orlando, sente até um grande prazer em "botar federal no chão", como define a batalha.

— Tenho nada contra eles não, sargento! Mas pra mim eles são só um mourão...

— Mourão? — estranha Miro

— "Mourão, Mourão, catuca por baixo que ele cai" — responde Bento, cantando, atirando e rindo, ao ouvir o grito de mais um que caiu do outro lado.

O sargento sorri, mas franze a fronte, lembrando de que esse é o seu grupo de confiança. Tem de protegê-los, assim como se sente protegido por eles.

— Avançar! — brada.

Os comandados sabem que, se ele deu a ordem, é porque avançar por ali é seguro. Deslocam-se seguidos pelos demais.

Mas, logo depois, escutam um "Alto!" Param. Os membros do pelotão sabem que o sargento Miro Patrocínio tem plena noção do que faz.

— É, seu Getulio! Se depender do sargento, a gente acaba invadindo o Catete! — pensa o jovem soldado Tião, recarregando com sua própria munição o fuzil reserva de Miro, que sempre dispara certeiro.

29

Em guerra, não se mata pessoa...

De repente, a poucos metros, de trás de uma rocha mais acima, Tião vê surgir um soldado federalista de fuzil apontado para a cabeça de Miro, que está de costas. Num gesto rápido, apanha a arma reserva do tenente e atira. O "Ai!" se mistura ao som da queda.

O tenente se volta e percebe o que aconteceu.

— Grato, amigo!

Tião, porém, treme como vara verde. Quer aproximar-se do morto, mas não tem coragem. Vence o próprio horror e caminha até o corpo estatelado. O soldado caiu de costas e tem um olho vazado pela bala do fuzil. Um sangue, grosso, escuro, escorre daquele buraco e se espalha na terra, antes de penetrar no solo.

A cabeça de Tião gira, o estômago se revolve e ele não consegue segurar o vômito. A cabeça gira e os ouvidos zumbem. Não sabe se chora ou se foge dali.

— Calma! É apenas o seu primeiro cadáver — comenta Miro, pondo a mão em seu ombro. — Se pensar nele como pessoa, com família, sonhos, história de vida, não atirará em mais ninguém. E ficará mais vulnerável. Pense nele apenas como "o inimigo", uma entidade que, se não morrer, te matará.

Tião olha novamente e, como se uma nova energia o acometesse, apanha a própria arma e começa a disparar aqui e ali. Não, quem está do outro lado não é pessoa. É apenas o inimigo. E o inimigo tem de morrer.

— Não vai me matar não, seu porco!

— Calma, Tião também não precisa exagerar — avisa o sargento.

O que ele não vê é que o malandro atira, grita, mas, na verdade, não consegue conter as lágrimas. Os soldados tentam enxergar alguma coisa na escuridão. Visualizar o inimigo que odeiam, o inimigo que os odeia. Um ódio às sombras que sabem existir e temem, mas não veem. Sobre as trincheiras, em círculo, balas cruzam o ar, sibilando ora aqui, ora ali. Como se defender do que não se consegue ver?

Volta e meia um cai jorrando sangue. Miro puxa Tião para trás de uma rocha, um segundo antes da explosão de uma granada, espalhando estilhaços para todos os lados.

— Empatados! — comenta, sorrindo, o sargento.

Os sobreviventes arrastam os feridos para locais seguros e descobrem que, para muitos, já não há mais o que fazer. O número de baixas é grande. "Quando chegará a minha vez?", pensa cada um.

Tão de repente quanto se iniciaram, os estrondos, gritos e horrores silenciam. É noite de lua nova, mas estrelada. Sufocado pela tensão, o grupo todo relaxa.

— Guerra, sangue, lágrimas, ódio, terror... O que a gente está fazendo aqui? — indaga Luvercy a Bento, que fica calado, enrolando um cigarro de palha.

— O que há de positivo numa guerra é que ela nos ajudar a inventar heróis! — reflete Miro.

— Inventar não, sargento. Heróis existem — soluça Tião. — Você é o meu herói. Se não tivesse me puxado, eu estaria ali no chão feito carne moída.

— Nada de herói, Tião. Puro instinto. Gritei para você se proteger, mas você não me ouviu. Então, te puxei.

Outros soldados ficam por ali espalhados por todos os lados. Sentados, deitados, fumando... Muitos põem as mãos sobre a face e choram. O capelão não está com eles; permaneceu ao lado do capitão. Ambos só chegaram ao campo de batalha quando os inimigos já haviam partido.

De estola sobre a farda e breviário nas mãos, padre Mathäus sai pelo campo distribuindo extrema unção aos moribundos. Avista um soldado com parte das vísceras expostas, mas ainda respira. Ao se aproximar, para ungi-lo com os santos óleos, tira-lhe o capacete e, então, reconhece Tonhão.

— Hum! Esse precisa muito do sagrado sacramento, pensa, antes de começar suas orações.

Num fio de voz, o moribundo murmura algo, que o sacerdote só consegue ouvir ao aproximar-se bastante de seus lábios.

— Padre, preciso muito de um favor...

— Diga, meu filho!

— O senhor promete que vai me atender?

— Claro que prometo. Não se nega atender pedido de quem está... perdão!

— Morrendo... pode dizer, padre, sei que estou morrendo... E é por isso que quero lhe fazer esse pedido.

— Faça... atenderei, sim.

— Olha, padre! Tenho aqui essa pequena imagem de Ogum, quer dizer, São Jorge. Minha mãe me deu e disse que eu tinha de levar de volta. Não vou poder. Peço que o senhor leve e entregue pra minha mãe. Nesse envelope tem uma carta para ela. Tem também algum dinheiro. Quero que leve a ela. Também tem esse dinheirinho para as suas despesas...

— Não se preocupe com minhas despesas, meu filho. Você se arrependeu de seu passado, e agora cultua um santo mártir cristão. A primeira coisa que farei, ao voltar, será procurar sua mãe, lá na — lê o envelope — Casa Verde, e entregar sua carta, o dinheiro e a imagem.

Apesar de ter dito que não precisava, o padre apanha o dinheiro para as despesas e põe tudo no bolso. Começa, então, a fazer as orações fúnebres. Encomenda a Deus a alma desse "infeliz que se vendeu para as correntes do mal".

Duas semanas depois, chega um padre de Lorena para substituí-lo e o capelão embarca para São Paulo. Dirige-se ao bairro de Casa Verde, ao endereço marcado no envelope, casa de dona

Catarina. Lá chegando, um garoto que está em frente ao portão responde-lhe:

— Mãe Catarina D'Oxum tá na gira.

Sem entender o que disse o menino, o padre entra na casa. O aroma de defumação, o som de atabaques e as palavras estranhas nos cantos, tudo o alerta de que ali está ocorrendo o "ritual satânico", que sempre abominou. Uma jovem, de saia branca rodada e engomada, blusa de renda e turbante branco, vem ao seu encontro. O padre explica o que ocorreu com Tonhão e pede que ela entregue à mãe do soldado tudo que o filho lhe mandou. A garota chora e, abraçada a ele, lhe diz:

— O senhor deve entrar no terreiro e entregar a imagem pessoalmente para Mãe Catarina, depois que o guia dela subir. Hoje é o dia da festa de Ogum, o santo de cabeça do pai Tonhão. Vem comigo até o congá!

Constrangido, padre Mathäus entra no ambiente esfumaçado e pensa em dar meia volta. Mas começa a sentir uma leve tontura, segundos depois, tudo roda à sua volta. Um arrepio percorre seu corpo, que estremece todo. Pensa estar desmaiando e não vê mais nada.

O que ele não viu, mas todos presenciaram, foi um homem branco, alto, de pele avermelhada e cabelos como fios de ovos, usando uma batina preta, soltar um brado, vibrar o corpo e incorporar Ogum, que arrancou a batina e pediu que o enrolasse com panos vermelhos. Guias de contas de cristal foram colocadas em seu pescoço e uma espada dourada na sua mão.

Dá passe e consulta aos fiéis, vestido com a capa vermelha e o capacete que pertenceram a Pai Tonhão. Dança tão bonito como só mesmo o filho de Mãe Catarina d'Oxum dançava. Ogum revela a todos que Tonhão não vai mais retornar, mas que jamais os deixará. Todos choram pelo jovem pai de santo, um trombonista que sonhava ser músico de orquestra.

— Meu filho Tonhão será para sempre o herói da minha família — comenta, ao final, a mãe do soldado.

Padre Mathäus pergunta a ela se pode voltar e, se Deus quiser, tornar-se o primeiro padre alemão a se desenvolver na umbanda. Ela confirma e ele desabafa:

— Para mim, Pai Tonhão também será sempre um grande herói.

Muito tempo depois, Tião soube dessa história e ali, na praça, o velhinho reflete:

— O Brasil é a terra de mistérios. Misturas de corpo e de alma! Coisa de fé, de cultura, dos causos que, contando, ninguém acredita.

30

Quem promete tem de cumprir

Luvercy cumpriu a promessa feita à mãe. Pai e filho foram incorporados no mesmo batalhão e até no mesmo pelotão, com outros 38 homens. Foi assim que enfrentaram os treinamentos, na Chácara do Carvalho.

Desde o primeiro dia, o jovem fez amizade com Tião e Bento, que estão no mesmo pelotão. Orlando acha que os dois não são bons exemplos para seu filho, mas evita se intrometer. Prometeu a si próprio e à mulher que não vai perturbar o garoto. E tem razão, afinal, o menino já tem muitos outros motivos para ficar amargurado nessa revolução em que jamais quis entrar.

Os três, mais o sargento Miro Patrocínio, o soldado mudo João Marcolino, os soldados Marcondes e Eustáquio e os cabos Agenor e Romualdo formavam um grupo de combate, a menor célula de enfrentamento na Infantaria. Faltaria um atendente médico. Mas, como o Miro é enfermeiro de profissão, também supriu essa função.

Três grupos de combates e um de apoio formam um pelotão. Orlando integra o grupo de apoio do pelotão em que está seu filho. Assim conseguirá estar sempre de olho. Não perde Luvercy de vista por nada desse mundo. Sente que, na hora H, o garoto poderá não saber como se defender. Outra promessa feita ao se despedir de sua amada Arminda:

— Pode deixar, nosso menino volta direitinho, sem um arranhão, para um dia ser doutor.

No trem, durante a viagem para o Vale do Paraíba, Miro conta aos amigos que a maioria dos batalhões é formada por categorias: há um dos operários, outro dos ferroviários, dos estudantes, dos comerciários, dos funcionários públicos, dos esportistas, dos professores... Outros, ainda, seguem critérios distintos, como o batalhão arquidiocesano, formado pelos Irmãos Maristas.

A Legião Negra — com seus batalhões Henrique Dias, André Rebouças, José do Patrocínio, Luís Gama, Marcílio Franco, Vidal de Negreiros e Felipe Camarão — não era a única unidade formada por grupo étnico. Havia, por exemplo, a dos índios guaranis. E outras aglutinando pessoas da mesma nacionalidade, como os batalhões dos portugueses, dos italianos, dos espanhóis, dos sírio-libaneses, dos alemães e dos ingleses. Todos se juntaram por São Paulo!

No Vale do Paraíba, destino do batalhão de Miro e seus amigos, acontecem as mais sangrentas batalhas dessa Guerra Civil. O motivo é óbvio: é a frente mais próxima do Distrito Federal. A maior concentração da resistência dos defensores de Getulio está ali. Por isso, ao longo do Rio Paraíba do Sul, vários batalhões constitucionalistas foram total ou parcialmente dizimados. E a este não se reservou destino menos cruel.

Durante o tempo que lá permaneceram, não faltaram confrontes e atos heroicos. O próprio sargento Miro Patrocínio protagonizou um deles, quando uma bala inimiga estourou o crânio do capitão Trujilo. Havia um tenente e quatro outros sargentos. Desorientados, discutiam entre si sobre a melhor saída. Tomando a iniciativa, Miro assumiu o comando e salvou seu pelotão.

Sozinho, atravessou a nado o rio caudaloso, levando uma longa corda dobrada ao meio, atada à cintura. Na outra margem, cortou a corda, transformando-a em duas. Depois amarrou uma no pé do tronco de uma árvore e outra, cerca de dois metros acima. Os que ficaram do lado oposto fizeram o mesmo. Assim, se improvisou uma ponte, com apoio para as mãos. Todos atravessaram em segurança. Nem um único soldado do pelotão se perdeu. Sãos e salvos, todos se preparam para as futuras batalhas, agora sob um novo comando.

Esse e outros atos de bravura lhe renderam a indicação para o posto de tenente, que se efetivou, dias depois, ali mesmo no campo de batalha, por um capitão enviado pelo coronel Palimércio. Assim, Miro tornou-se oficialmente o comandante do pelotão.

Tenente Miro Patrocínio! Esse era o motivo da comemoração, naquela madrugada nas cercanias de Queluz, num momento de trégua em que Miro aproveitou para tomar cachaça e fumar na companhia de Tião, Bento e Luvercy. E contar toda a história que o centenário Tião conheceu naquela noite e que, até hoje, reconta a si mesmo.

Os demais soldados descansavam. Orlando estava de sentinela e aproveitava para, de lá de cima, observar o filho e seu grupo de combate, junto à fogueira.

— Querem saber? Eu nem imagino por que nem contra quem a gente está lutando — desabafa Bento.

— Nem precisa — comenta o irônico Tião. — Esqueceu que preto não pode entrar pra Força Pública?

— Não. Mas e daí? — indaga Bento.

— Sobrou só Corpo de Bombeiros — explica Tião, de caneca na mão. — A gente veio apagar o incêndio e amarrar o maior fogo neste botequim da esquina.

Todos riem e Luvercy também dá sua contribuição:

— Então, por favor, me passem essa garrafa. Hoje ajudei a apagar o fogo no rabo de um bocado dos milicos getulistas!

Gargalhada geral. O sono está chegando, mas, antes de se aninharem junto à fogueira, cada um aproveita para pensar nas revelações do tenente Miro sobre sua própria história. O eco de suas risadas chega até lá no alto, nos postos de sentinela, onde Orlando e outros três soldados vigiam o acampamento e observam os morros e vales da região. Os quatro ficam um pouco preocupados com o ruído, mas tudo parece estar na mais absoluta paz.

Luvercy acorda, de repente, sobressaltado e com muito frio. Já não há mais fogo, só brasa e cinza. Mesmo atordoado pelo sono e pela ressaca, o jovem caminha em direção ao morro, onde o pai deve estar vigilante. Não avista Orlando sobre a pedra onde ele tinha de estar. Desespera-se. Acelera o passo e vê as solas das botas do pai surgindo detrás da pedra. Aproxima-se a tempo de ver um soldado negro do Exército Federal, com o fuzil apontado para o sentinela, dormindo abraçado à própria arma.

O inimigo dá mais alguns passos e chega bem perto, quase encostando a ponta do cano na fronte descoberta do sentinela. Não tem como errar a pontaria.

— Paaaaaai! — berra o jovem. O soldado getulista se assusta e dispara na direção de Luvercy. Acordado pelo berro e pelo estampido, Orlando enfia a baioneta de seu fuzil na garganta do soldado, que cai ensanguentado sobre ele.

Landão luta para se livrar do cadáver e se levanta o mais rápido que pode. Só então vê o filho caído, com um buraco de bala no peito. Desespera-se, corre, agarra-o. Uma lágrima escorre pela face do garoto, que sorri por ter salvado a vida do pai. Então sussurra:

— Diz pra mamãe que cumpri minha promessa!

Uma golfada de sangue sai de sua boca e a cabeça pende de lado. Já não está mais ali.

* * *

Lá embaixo, no litoral, a ventania precede o temporal e arrasta tudo que encontra pela frente. Arminda corre para o quintal, vê as roupas brancas se agitando ao vento. Esforça-se para recolhê-las. Berra para que as filhas a ajudem. Rapidamente, uma a uma vai saindo em socorro.

Assim que Arminda toca uma camisa branca de cambraia, ao lado de um branco lençol, a chuva despenca forte. Ela olha para o céu, depois lança um olhar desesperado para as filhas, que entendem imediatamente sua mensagem. A dor do coração de mãe se transforma em um único berro:

— Luvercyyy!!!...

O brado de Arminda, seu choro convulsivo, debaixo da chuva, agarrada à camisa, faz que as filhas corram para abraçá-la. As cinco choram e amparam-se, agarradas ao lençol. Arminda não larga a camisa de cambraia que, segundo o marido, um dia vestiria seu filho.

Perdem as forças e caem ao solo, arrancando ambas as peças do varal. O temporal desaba. Arminda aperta com força ao peito a camisa que, para ela, é seu amado Luvercy.

Lágrimas, chuva e lama se misturam... tudo naquele quintal é pura dor: cinco mulheres abraçadas sob a chuva, meio deitadas, meio sentadas, meio de joelhos, a profunda expressão do mais absoluto desespero. O varal arrebenta e todas as roupas caem na lama e sobre elas, prostradas ao solo.

* * *

No mesmo instante, Orlando se embrenha no matagal, disparando seu fuzil e derrubando quantos inimigos encontra pela frente. Os demais companheiros de pelotão acordam e começam a atirar, combatendo sem saber a quem.

Assim que os amigos de Luvercy encontram seu corpo, veem o pai voltando do matagal, de cabeça baixa, coberto do sangue inimigo. Arrastando seu fuzil, que pesa toneladas. Ele se aproxima do filho. Ajoelha-se ao lado do corpo, beija-lhe a face, sussurrando:

— Meu menino é um esportista. Só queria jogar futebol. E eu fui incapaz de cumprir minha promessa.

31

Cobrir, descobrir, redescobrir

A morte de Luvercy cai como uma rocha sobre todos. Para seus amigos, a vida nunca mais será a mesma. Todos viram muitas mortes, mas aquela os deixa incapazes. Cobrem o corpo jovem com um cobertor e se sentam junto dele, muito mais abalados do que se tivessem perdido todo o pelotão.

A depressão de Orlando, chorando a todo instante, planta no grupo a certeza da impotência. O pai, apenas consegue sussurrar:

— Menino. Ele era apenas um menino! Luvercy, meu menino querido!

É verdade. Era apenas um menino, mas pensava como gente grande. Horas antes, à beira da fogueira, quando o Miro lhes contou sua epopeia, Bento e Tião ficaram tartamudos. Não tinham nada a dizer. Ele, porém, apesar da embriaguez, foi o único que chegou a alguma conclusão:

— É... Quem diria que depois de passar a vida toda como um homem moreno, nosso Miro Patrocínio ia virar "negão" e se transformar num malungo, ombro a ombro na luta com os mais valentes de seu povo!

Nas infindáveis horas que se passam na madrugada, após a morte de Luvercy, os amigos relembram várias vezes essas frases.

Ali mesmo, arrasados, diante daquela sensação do nunca mais, refletem sobre a valentia desse jovem tão malungo quanto o tenente. Tão herói quanto jamais se imaginou ser.

Depois, deixam seus corpos largados no solo, nem ao menos conseguem conversar. Miro, distraidamente, apanha a garrafa, onde ainda resta um pouco de cachaça. Tião e Bento se olham preocupados com o tenente, que antes recusava, quando lhe ofereciam bebida alcoólica, e agora bebe demasiadamente. Miro sorri triste e sussurra:

— Querem saber? Vou mandar colocar as frases de Luvercy em meu epitáfio.

O silêncio noturno é quebrado, de repente, por uma voz quase berrada às costas do tenente:

— E, se continuarem aí, se embebedando, esse epitáfio será escrito mais cedo do que imaginam.

Todos se assustam e veem um oficial constitucionalista branco, sobre um belo cavalo marrom. Levantam-se e fazem continência, em posição de sentido.

— Descansar! — berra Nelópidas Dalla Rosa Filho. Depois, apeia-se e aproxima-se de Miro, que espera receber um grande abraço do amigo de infância.

Mas, ao contrário, Neo se mantém sisudo e altivo.

— Mas que belo quadro! Grotesco, vergonhoso, mas belo. Quer dizer que você já é um tenente, Miro Patrocínio? É mesmo? Pois eu sou coronel, sabia? Coronel Nelópidas Dalla Rosa Filho. Não soa bem? Com a missão de avaliar o comportamento dos combatentes do Exército Constitucionalista — ri com ar de desprezo. — Assim que voltar ao quartel-general, vou pedir que lhe tomem a patente de tenente. Que seja rebaixado e dispensado, com desonra. No Exército Paulista não há espaço para pretos alcoólatras e folgazões.

Miro respira profundamente. À sua mente vêm as palavras e a demonstração da covardia do artista plástico, na pensão de beira do cais do porto, em Santos. Em rápido *flash back*, recorda-se dos tempos de infância quando ajudava o amiguinho em seus trabalhos escolares, na verdade, em tudo.

De repente, seus lábios se fecham fortemente e as bochechas começam a se estufar. Miro treme e, quando não aguenta mais, solta uma imensa gargalhada. Pego de surpresa, o coronel Nelópidas Filho salta para trás, segurando o cabo da espada, mas a mão treme e ele não a desembainha. Arregala os olhos, os lábios arroxeiam, a pele avermelha, parecendo que vai jorrar sangue pelos poros.

Diante da gostosa risada de Miro, Tião e Bento também não conseguem se conter. Riem alto, mesmo sem saber o porquê. Impotente diante daquele ato de insubordinação dos três, o coronel monta novamente em seu cavalo, berrando:

— Vocês não perdem por esperar! — e sai galopando, em grande velocidade, na direção de onde deixou seu pelotão de apoio.

— Se não fosse o papai, que hoje já deve ser um general, ele jamais seria um coronel — comenta Miro aos amigos, que não conhecem aquele oficial.

Em poucas palavras, resume aos amigos a história daquela antiga amizade e de como Neo se borrava todo porque o pai queria obrigá-lo a ir para a guerra. Para de falar, e a imagem de Luvercy vem à sua mente. Miro, então, comenta que de alguma forma suas histórias se assemelham: ambos não queriam estar ali. Mas, em seguida, olha para o corpo do amigo sob o cobertor e lhe fala, como se ainda estivesse vivo:

— Você, não. Desculpe! Jamais foi covarde, menino. Você tinha opinião e estava certo. Essa guerra não é e jamais será nossa. Mesmo assim, aqui no campo de batalha, você demonstrou toda a sua valentia.

O tropel do cavalo do coronel e seus brados indicam aos inimigos o local em que a tropa está. Miro Patrocínio ainda está falando, quando uma granada explode a poucos metros do grupo. Todos berram, sob uma chuva de balas. Corre-corre geral. Só o tenente permanece no chão. Os amigos foram atingidos por estilhaços, mas sem gravidade. Olham para o local da explosão e o que descobrem os deixa arrasados: Miro sangra copiosamente, teve um braço quase totalmente arrancado.

Entre lágrimas e berros, ao lado de não mais que dez sobreviventes, Tião e Bento resistem bravamente. Era isso que o tenente iria ordenar. Pelo menos por um breve tempo, fazem o inimigo recuar, debandar. Ambos se aproximam do tenente ensanguentado. Com um pedaço do cobertor, transformado em tiras, cintos de couro e pedaços de pau, improvisaram um torniquete. Assim, tentam impedir que o sangue continue a jorrar. O tenente está quase em choque. Treme e pronuncia algumas palavras ininteligíveis.

Alguém lembra que açúcar ajuda o sangue a coagular:

— Açúcar! Açúcar! Cadê esse maldito açúcar? — corre-corre até que o cozinheiro surge com um saquinho à mão, cujo conteúdo é esvaziado sobre o ferimento.

— Será que sal não é melhor? — indaga outro, desesperado.

Apesar da dor que quase o enlouquece, Miro abre um sorriso triste e sussurra aos amigos, pouco antes de desmaiar:

— É melhor vocês decidirem logo se me adoçam ou me salgam... — E completa, murmurando — Ainda bem que foi o braço esquerdo...

Tião não sabe se chora ou se ri, quando lhe vem a lembrança que o amigo é destro. Bento, mais folgazão, esquece a tristeza e solta uma boa gargalhada.

Só na manhã seguinte conseguem providenciar a remoção de Miro, bastante febril, para a capital. A ambulância da antiga 2ª Região Militar "voa" pela estrada e, quase oito horas depois, está entrando na Santa Casa de Misericórdia de São Paulo, onde ele passará pelo menos três meses. Quando receber alta, saberá que a guerra civil acabou.

Só não terá certeza de quem saiu vencedor.

32

Covardes ou heróis, todos mortais

O alarde do coronel Nelópidas Dalla Rosa Filho não entregou apenas o pelotão de Miro aos inimigos. O próprio oficial acabou revelando sua rota de fuga. Antes de alcançar o vale onde estão acampados seus homens, sua cavalgada é avistada por um grupo de combate montado, que sai em seu encalço. Neo percebe e ferra o animal para que acelere ainda mais.

Tanto o fugitivo quanto os perseguidores sobem morros, descem, atravessam um riacho, uma pequena mata. A perseguição é obsessiva. No sopé de um morro, o fugitivo vê um pequeno sítio. Ferra o cavalo, que desce pelo barranco, quase rolando. No sítio, o coronel apeia, dá uma tapa na anca do animal, que sai trotando. Refugia-se num celeiro.

Quando chegam ao sítio, os inimigos só encontram as roupas que restaram no varal, balançando. Inicia-se a procura. Depois de um tempo, arrombam a porta do celeiro e não veem ninguém. Já estão de saída, quando percebem ligeiro movimento, sob o monte de feno. Os soldados federais se lançam sobre a forragem, armas em punho, atirando. Neo não consegue escapar. Ele se debate, em vão.

Os soldados do grupo montado, uns dez, humilham Neo de todas as maneiras possíveis. Arrancam roupas femininas do varal e colocam, sobre sua farda, um vestido de chita com estampa de flores; na cabeça, um lenço de algodão colorido. Neo é arrastado para fora e bolinado sexualmente por todos, que lhe dirigem gracejos e ofensas.

— Chega de baderna, estamos numa guerra! — berra um oficial, que chega a cavalo. — Tragam o prisioneiro!

— Não, capitão! Um chibungo desses não merece uma cela, não — fala um soldado nordestino, que já combateu o cangaço, depois de fazer parte de um bando de cangaceiros. — Deixa que eu resolvo!

Antes que o oficial possa dizer alguma coisa, o homem aplica uma rasteira, nas pernas de Neo. Ele ainda está caindo, quando o soldado brame no ar seu afiado facão e corta-lhe a cabeça. Os demais se assustam com a violência do ato. O horror toma conta de todos que se surpreendem ainda mais, diante da atitude que se segue. O ex-cangaceiro olha para o facão e diz:

— Tenho que te jogar fora, minha velha peixeira. Tu que foste minha companheira por toda a vida... Mas sangue de covarde corrói o aço todo.

Lança a arma para as costas, sobre o ombro esquerdo. A ponta do facão bate e finca na madeira da parede do celeiro, vibra várias vezes até perder a força e fica ali cravada, como uma lúgubre mensagem. Sem olhar para trás, o ex-cangaceiro caminha na direção dos companheiros. Todos partem em silêncio. Comentar o ocorrido só vai servir para aumentar a sensação de horror.

No solo do sítio, enrolada num lenço feminino, a cabeça de Neo, separada do corpo fardado, sob um vestido de chita, parece uma obra surreal. O estranho é que, após a morte, sua face ganhou um ar de serenidade. A morte traz consigo um alívio balsâmico. Afugenta os medos, abranda as angústias, põe fim aos pesadelos. Transforma-nos em nós mesmos. Ali, não está mais o militar presunçoso, mas o frágil e sensível artista plástico.

O cadáver não tarda em ser descoberto pelo pelotão de apoio que acompanhava o coronel. Por telegrama, o general Nelópidas Dalla Rosa é avisado, em sua base de operações, na capital. Horrorizado, mas sem mexer um músculo da face, o imponente general brada:

— Saibam todos que o coronel Nelópidas Dalla Rosa Filho foi apanhado, covardemente, pelo inimigo, numa emboscada. Foi torturado e humilhado. Mas reagiu e lutou até a morte. É um herói!

Não fosse a decapitação, o "herói" teria cumprido as ameaças. O Exército Constitucionalista jamais condecoraria por bravura o primeiro-tenente Teodomiro Benedicto Patrocínio da Silva nem lhe daria a patente de capitão.

Nas cidades e nos acampamentos, divulgam-se feitos heroicos, tanto para impedir que os combatentes desanimem quanto que rareiem os voluntários. Para isso se produzem heróis, mesmo que apenas míticos.

— Se eles puderam, por que eu não? Desistir jamais! Por São Paulo! — pensam os ouvintes.

No rádio, César Ladeira anuncia que a vitória é iminente. Conta que vários batalhões favoráveis a Getulio foram derrotados, renderam-se ou até passaram para o lado constitucionalista, em todas as frentes. Ninguém resiste ao gigantismo da revolução paulista.

Uma das façanhas mais exaltadas é a resistência num túnel de trem na Serra da Mantiqueira, por onde passariam as tropas mineiras. Foram dois meses de combate. O rádio só não contou que a batalha do túnel foi decisiva para a vitória do governo provisório de Getulio. Raras notícias desfavoráveis conseguem vazar. Mas quem está na frente de combate sabe que nada disso é verdade. Já morreram mais de 800 nessa guerra, a maioria do exército constitucionalista.

No Vale do Paraíba, Tião e Bento aproveitam um momento de calmaria para fumar e relembrar os amigos que aquela guerra civil lhes deu e lhes roubou: John, o falso mudo, foi preso; Luvercy, morto; seu pai, Orlando, entrou em depressão e deu baixa; Miro perdeu um braço na explosão e foi levado. Nunca mais tiveram notícia dele.

— Tenho certeza de que a morte não levou nosso Miro — afirma Bento.

— Tem certeza por quê? – indaga Tião.

— Notícia ruim corre mais que batedor de carteira na estação de trem — explica.

Sorrisos tristes, em meio à fumaça do último quebra-peito. Não têm mais cigarro, nem café. Só sobrou meia dúzia de biscoitos mofados. Ali não chega nada. Nem notícia boa, nem ruim.

— Se São Paulo não acabar com a guerra, ela acabará com os paulistas — conclui o jovem soldado Tião, ao pensar que nunca mais reencontrará seu ídolo.

Ali, no campo de batalha, só lhe restou um amigo: Bento, o "rei da tiririca".

A noite é iluminada por uma imensa lua cheia. Se tivessem um calendário, saberiam que é a madrugada de 1º de outubro de 1932. Os ânimos de todos estão em baixa. O que poderia ser uma agradável sensação, o fato de terem sobrevivido até ali, é subjugado pelo mais profundo estresse. O pelotão está cercado. Os inimigos encontram-se por todos os lados, a poucos metros de distância. Não há saída.

— Não há mesmo? — pergunta Bento a Tião.

— Vamos bater em retirada — responde.

— E se a gente usar tática de guerrilha? Atrair o inimigo e, depois, atacar pelos flancos?

— Que nada. É retirada mesmo — garante Tião.

— Então vai, velhinho! Leva os rapazes que eu seguro a retaguarda! — sugere Bento.

— É melhor a gente trocar. Vai que eu fico — argumenta Tião.

— Não mesmo. E quando a gente voltar, te desafio para uma roda de tiririca. Só nós dois.

— Aceito o desafio. Então, boa sorte!

Sem comando, Tião toma a iniciativa e chama os outros cinco sobreviventes de seu pelotão.

— Vem, gente! Por esse riacho, passamos atrás daquele monte e chegamos à estrada de ferro.

Acena para Bento, que lhe devolve o cumprimento, enquanto Tião e os demais desaparecem através da trilha. Chegam à linha do trem. E caminham por ela procurando um ponto para montar sua última trincheira, onde esperam resistir até a chegada de reforços.

Bento fica só, garantindo a retaguarda. Está muito triste. Não é só pelas mortes e baixas de amigos e companheiros. Soldados recém-chegados da capital contaram que, enquanto os negros lutam, morrem, sacrificando-se por São Paulo, as mulheres e filhos de muitos deles estão sendo despejados dos cortiços e casarões. Se, quando vieram já estava ruim, agora está muito pior. O ódio toma conta de seu coração.

— Corre, Tião. Eu alcanço vocês — e começa a disparar para todos os lados, enquanto berra:

— Toma, seu porco! Prova esta! Leva esta pro teu chefe! Mais esta! Morram malditos!

A munição acaba e ele apanha o fuzil calado e vai de encontro aos inimigos enfiando a baioneta na barriga e no peito de qualquer um que ouse aproximar-se. Nem sente quanto toma um tiro... A lâmina da baioneta se quebra, ao bater numa rocha, depois de atravessar o pescoço de um soldado alto e musculoso. Ele joga o fuzil, enfia a mão no bolso de trás da calça e apanha a navalha.

Aplica uma rasteira no primeiro que se aproxima. O soldado está caindo, quando a navalha lhe rasga a carótida. Mais uma rasteira e outro tem um corte profundo na perna, que lhe rompe a veia femoral, num só golpe. O sangue jorra. Morte iminente por hemorragia.

Apesar de ferido gravemente, Bento dá trabalho e acaba com mais de uma dezena de inimigos. Um oficial crava-lhe a espada nas costas. Bento ainda consegue voltar-se, olha em seus olhos, buscando fôlego no fundo da alma, solta um berro de fera e lança a navalha, cortando-lhe a jugular. Ambos caem ao solo. O oficial está morto, o negro ainda tenta se levantar, mas sente que está morrendo. Tira do bolso do jaleco a foto de Madalena e sussurra:

— Vou morrer, nega, mas não dei mole pra eles, não. Reza por mim e avisa lá pro céu que eu tô chegando. Ah! Alerta eles que não vou dá mole pra ninguém lá em cima também! E não esquece de dizer que eu sou o rei da tiririca.

33

Derrota? Vitória? De quem?

"Mas se ergues da justiça a clava forte,/ Verás que um filho teu não foge à luta/ Nem teme, quem te adora, à própria morte [...]." A voz rouca do velho Tião sussurra o trecho do Hino Nacional que mais o emocionava, quando cantava, na Chácara do Carvalho, na alvorada e quando o sol se punha atrás dos casarões.

— E não fugimos, mesmo. Fomos pra cima. A gente enfrentou o resto do Brasil inteiro! O Brasil inteiro! — comenta consigo próprio, levantando-se com dificuldade do banco da praça.

Começa a caminhar lentamente, apoiado na bengala. Para diante de uma árvore e a observa por um longo tempo, relembrando, relembrando... Ele e os sobreviventes de seu pelotão foram cercados, num armazém, junto a uma pequena estação de trem, onde estavam escondidos. Prisioneiros de guerra, foram levados a um acampamento. Dias depois, quando chegou a notícia de que a guerra civil havia acabado, foram libertados.

As centenas de milhares de soldados das tropas federais foram desafiadas por menos de 35 mil paulistas. Uma situação desfavorável na relação de forças, tanto numérica quanto belicamente. Um David enfrentando Golias. E a esperança na pedra de uma funda. O curioso é que, a despeito da própria história bíblica, todos acreditavam que o verdadeiro gigante fosse São Paulo.

Tião segue lembrando que São Paulo ficou isolado. A retaguarda foi a única vencedora, com a campanha de arrecadação de ouro, cujo destino ninguém sabe dizer, enquanto, uma a uma, as frentes caíam.

Em 12 de agosto, o general Bertoldo Klinger deu o primeiro passo na busca de um armistício. Tião ainda se lembra de que, como ouviu falar, houve revolta entre os paulistas ao receber a notícia:

— Foi uma grita geral! Aqui, na cidade, é claro. Lá no campo de batalha, pros que estavam vendo o gigante da morte devorar seus companheiros, foi igual água com bicarbonato aliviando o fogo nas tripas.

As condições impostas pelo governo para a rendição foram consideradas humilhantes. E o esperado "Depor armas!" não foi ouvido. Nem o "Cessar fogo!". Esse, por sinal, nem precisava. A munição havia acabado.

Chega setembro e o general alagoano Góes Monteiro, comandante geral das tropas legalistas, apresenta novas exigências, também recusadas e classificadas de humilhação.

— Eles queriam nós de quatro, de bunda de fora, para darem palmadas, e ver a gente limpando as botas deles com a língua — ri Tião.

Muito a contragosto, no dia 1º de outubro foi dada a ordem para a deposição das armas. Às oito horas da manhã de 2 de outubro, na cidade de Cruzeiro, o comando do Exército Constitucionalista assinou a rendição, diante do general legalista gaúcho Valdomiro Lima. Estava decretado o fim oficial da guerra civil.

Ironicamente, Bento foi morto, poucas horas antes da assinatura do armistício e seus companheiros de farda, encarcerados por dias, foram vítimas da lentidão com que informações trafegavam pelos campos de batalha. A vitória rendeu a Góes Monteiro o Ministério da Guerra, e a Valdomiro Lima a nomeação para o cargo de interventor de São Paulo, além da chefia da 2ª Região Militar.

Naquele 2 de outubro de 1932, a voz de Góes Monteiro anunciou pelo rádio que, finalmente, a paz estava conquistada e que não haveria retaliações. Do estúdio da rádio ele não ouviu, mas foi vaiado por quase toda a cidade de São Paulo. A brava gente bandeirante rejeitou o armistício. Um protesto obviamente minimizado pelos principais colaboradores do general:

— Apenas meia dúzia de descontentes. Logo se cansam e voltam para casa.

Às 15h30, Pedro de Toledo foi comunicado em seu gabinete, sobre a sua deposição do governo paulista. Recebeu voz de prisão e se exilou em Lisboa, com todo o comando revolucionário.

São Paulo se rendeu, sim, mas sem abrir mão do orgulho do "espírito bandeirante", da bravura apregoada pela propaganda massiva. Antes e durante a revolução, a incansável voz de César Ladeira não deu trégua à missão de convocar os voluntários a *"derrubar a tirânica ditadura e a exigir a elaboração da nova constituição"*.

Uma vez paulista, sempre paulista. Depois da rendição, veio a exaltação à *"vitória moral e política"*. Segundo o rádio, graças à revolução de São Paulo, *"o tirano Vargas cedeu, marcando eleições para 1933, e a convocação da Assembleia Constituinte, para 1934"*. Só depois de promulgada os exilados retornarão ao Brasil.

— Não me canso de passear, por essas ruas, na antiga Chácara do Carvalho. De admirar todos esses prédios altos, ocupando meu saudoso campo de treinamento — pensa o velho, caminhando com passos miúdos e palito no canto da boca.

Os olhos cansados de Tião marejam mais uma vez:

— O pior de ficar velho é ficar frouxo demais!

Lágrimas que se misturam a um sorriso doce, à lembrança da parada militar infantil, do garboso batalhão de crianças e adolescentes.

— Não tinha nenhum negrinho, não. Parecia um bando de anjinhos de farda. Anjinhos da morte.

Agora já está falando com a lembrança do garotinho que corria atrás da bola, lançada pela babá. Instintivamente passa a mão na face, averiguando se não restou nada da vergonhosa baba grudada na barba rala. Tião para à beira de uma calçada, olha de um lado e do outro. A cidade cresceu e se multiplicaram os perigos:

— Em 1932, não. São Paulo não tinha tantos perigos. Não teve combates por aqui. A capital não foi atingida. A gente garantiu, lá nas frentes, a segurança do nosso povo.

Resta ainda mais uma última boa lembrança. Numa manhã qualquer de 1934, Tião recebeu uma carta. No contorno do envelope, as cores vermelho, azul e branco, e um selo dos EUA. Mas era uma carta escrita em bom português. Junto veio uma fotografia. Ele leu primeiro o final e a assinatura, para saber de quem era, e seu coração quase saiu pela boca: *"...um abraço do amigo, que jamais o esquecerá, Teodomiro".*

Miro conta que a demora no socorro complicou seu estado de saúde. A alta, na Santa Casa de Misericórdia da capital, só viria no final de janeiro de 1933. Tempo demais para quem ansiava estar com os amigos, lutando. Estava só. Queria sair e se engajar na Frente Negra.

Numa manhã ensolarada, a enfermeira lhe deu a notícia da alta. Vestiu-se às pressas, com a ajuda da moça e, ao sair, teve uma grande surpresa. Um belo sorriso de mulher o aguardava no saguão: Stela.

Com o coração aos pulos, aproxima-se para beijar seus lábios. Mas a jovem franze a fronte e, depois de abrir novamente o sorriso, dá um passo para trás, colocando a mão esquerda espalmada sobre o próprio peito, exibindo uma larga e reluzente aliança dourada:

— Calma aí, soldado! Vai mais devagar. Você não pode beijar na boca uma senhora casada. Agora eu sou a senhora Stela Maris da Silva Washington.

Tião imagina a cena jocosa: Miro de olhos arregalados e a boca escancarada, num grande susto. Nesse momento, o convalescente vê o sorriso de John, saindo detrás de uma coluna. O olhar carinhoso do amigo põe fim a seu constrangimento.

— John! Você não foi extraditado?

— Inda non, my friend. O Justiça in Brazil it's muito slow, lento. Deu tempo até preu casar com o mulher que amo.

Os três se abraçam e riem muito. Caminhando pelo jardim da Santa Casa, em direção a um automóvel alugado, John completa a história, revelando que está até aprendendo a falar português.

— Fala enrolado, mas está aprendendo... — comenta Stela.

O jamaicano se aproxima do ouvido do amigo e revela que no Brasil fez várias descobertas. A mais importante foi o verdadeiro valor do dólar aqui. Algumas poucas notas não só possibilitaram que as coisas tomassem outro rumo, como também lhe conseguiram uma autorização para deixar o País, na companhia da esposa.

— O viage está marked. Será in next week. Perdon, semana.

Tião para a leitura e pensa que aquilo parece coisa de rádio-novela, como as que Rosa ouvia no pequeno rádio, que tinham sempre final feliz. A alegria de Miro dá lugar à tristeza de saber que esse reencontro, ali na Santa Casa de Misericórdia de São Paulo, vem com sabor de despedida. É quando a Senhora Washington o alerta:

— E pode se preparar. Você vai com a gente.

É uma surpresa após a outra.

— Eu? Como assim? — indaga Miro.

— Yes. Nóis já comprar your ticket — se esforça John, em seu "portuinglês".

— Mas o que vou fazer lá nos Estados Unidos? Ainda mais com um braço só...

— Nois non precisa de sua braço, my friend.

— John falou, ainda ontem, que precisamos é de sua cabeça, de suas palavras e dessa energia maravilhosa que emana de você — explica Stela.

— Vocês me deixam constrangido...

— John quer que você venha para o Mississippi conosco. Pra ele, você, com um só braço, é muito mais poderoso que uma legião da Ku Klux Klan[51]. E garante que nós três vamos incendiar o sul dos Estados Unidos. Primeiro vamos a Nova York conversar com alguns líderes e estabelecer uma estratégia. Depois descemos para o sul. Passamos por alguns estados como o Alabama, as Carolinas do Norte e do Sul, a Geórgia, a Louisiana e o Tennessee, os mais racistas. Em cada um deles iniciaremos a preparação das

---

51. Organizações racistas dos Estados Unidos, conhecidas como KKK, que apregoam a supremacia branca e a inferioridade dos negros e imigrantes.

milícias paramilitares. No máximo em um ano chegaremos ao Mississippi.

Miro estava fascinado. Não só por tudo aquilo que era dito pelo casal, mas principalmente pela empolgação de Stela, uma mulher vibrante, uma autêntica guerrilheira negra pronta a incendiar o primeiro mundo. A proposta não poderia ser melhor. Ele precisava de novos ares, novos sonhos, novas lutas. Quem sabe, na volta, poderia trazer propostas concretas que ajudariam a dar outros rumos também para a militância negra brasileira.

E lá estavam na foto recebida por Tião; John, no meio, abraçando de um lado uma linda mulher, que ele não conhecia, mas só poderia ser Stela, e do outro Teodomiro Patrocínio, que sorri, como se não tivesse passado pelo que passou. Ao fundo o porto de Nova York. E bem lá atrás, de braço sempre erguido, a Estátua da Liberdade, emoldurada por um sol alaranjado. Não dá para ele saber se está se pondo ou raiando. A esperança, sim, Tião tem certeza de que está, apenas, começando.

EPÍLOGO

Passado? Futuro?... Presente!

Ainda hoje, quase 80 anos depois, o centenário Tião traz essa foto na carteira. Dá uma olhadinha. Está amarelada, quase esmaecida. Passa alguns minutos olhando para ela, como se assim conseguisse trazer aquele instante e aquelas pessoas de volta para sua vida.

Depois, guarda-a de volta na carteira e caminha até a beirada da calçada. Olha para um lado e para o outro. Depois, atravessa a rua o mais rápido que as velhas pernas lhe permitem. Para na esquina e lê a placa: Praça Coronel Nelópidas Dalla Rosa Filho. Embaixo, a inscrição: "herói constitucionalista".

Tião começa a rir.

— Até você, covardão?! Herói constitucionalista! Pois é, não encontrei até hoje nesta cidade inteira nenhuma rua, praça ou beco que tenha na placa tenente Teodomiro Benedicto Patrocínio da Silva, nem soldado Luvercy Tarquínio de Moraes, nem Antonio Bento Paulino Silva e nem Orlando Tarquínio de Moraes... É. Nessa revolução nós só servimos, mesmo, de massa de manobra, bois de piranha, buchas de canhão. A gente nunca fez nem fará parte da "brava gente bandeirante". Não, jamais!

Quem passa por aquele velho, caminhando lento, pelas ruas da Barra Funda, pode achar que está maluco. Certamente não vai entender seu comportamento, falando sozinho, sussurrando, rindo, como quem faz e ao mesmo tempo responde a uma chamada, que soa como uma ladainha:

— Doutor Joaquim Guaraná Santana!... Presente!
— Professor Vicente Ferreira!... Presente!
— Senhora Palmyra Calçada!... Presente!
— Professor José Bento de Assis!... Presente!
— Tenente Arlindo Ribeiro!... Presente!
— Fuzileiro Melchiades Neres Campos!... Presente!
— Tenente Cunha Glória!... Presente!
— Soldado Maria José Barroso, Maria Soldado!... Presente!
— Coronel Palimércio de Rezende!... Presente!
— Tenente Pedro Leite Mendes!... Presente!
— Tenente Anacleto Bernardo!... Presente!
— Tenente Joaquim Rudge!... Presente!
— Tenente Silva Barros!... Presente!
— Tenente Newton Ribeiro de Catta Preta!... Presente!
— Tenente Henrique!... Presente!
— Tenente Alexandre Seabra de Mello!... Presente!
— Tenente Mário Leão!... Presente!
— Tenente Raul Joviano do Amaral!... Presente!
— Capitão Januário dos Santos!... Presente!
— Tenente Arthur Friedenreich!... Presente!
— Maestro Tenente Veríssimo Glória!... Presente!
— Tenente Teodomiro Benedicto Patrocínio da Silva!... Presente!
— Soldado Luvercy Tarqüínio de Moraes!... Presente!
— Soldado Orlando Tarqüínio de Moraes!... Presente!
— Soldado Antonio Bento Paulino Silva!... Presente!
— Soldado Sebastião Honório de Paula Prado!... Presente!

Uma chamada quase interminável, que só vai acabar no dia em que Tião Mão Grande não puder mais se recordar e reviver a história heroica de seu povo. Um povo que nem mesmo a solidão conseguiu apagar de seu coração, um povo orgulhosamente chamado de "Pérolas Negras", a Legião Negra de São Paulo.

A Legião Negra

LOGO que se deu a ecclosão do movimento militar contra o Governo Provisorio, em S. Paulo, organisou-se um corpo combatente que procurou reunir entre seus voluntarios, somente homens de côr. Esse batalhão que tomou o nome de "Legião Negra", esteve nas trincheiras desde os primeiros dias, conservando-se até o fim, em suas posições de combate.

NAS PHOTOGRAPHIAS—EM CIMA, POSSE DO COMMANDANTE CIVIL DA LEGIÃO NEGRA.—AO CENTRO, O ESTADO-MAIOR DA LEGIÃO, E EM BAIXO, UM PELOTÃO DESSE CORPO ORIGINAL, DURANTE OS PRIMEIROS DIAS DE INSTRUCÇÃO MILITAR.

(PHOTOS SUCCURSAL DE O CRUZEIRO)

Membros da Legião Negra à época da Revolução Constitucionalista, fotografia publicada em 1932 na revista *O Cruzeiro*. O texto ao centro diz (mantivemos a grafia da época e os erros de sintaxe): "Logo que se deu a ecclosão do movimento militar contra o Governo Provisorio, em S. Paulo, organisou-se um corpo combatente que procurou reunir entre seus voluntarios, somente homens de côr. Esse batalhão que tomou o nome de 'Legião Negra', esteve nas trincheiras desde os primeiros dias, conservando-se até o fim, em suas posições de combate. Nas photographias – Em cima, posse do Commandante Civil da Legião Negra. – Ao centro, o Estado-Maior da Legião, e em baixo, um pelotão desse corpo original, durante os primeiros dias de instrucção militar". O autor Oswaldo Faustino e a Selo Negro Edições agradecem ao Museu Afro Brasil e a Emanuel Araujo pela cessão da imagem.

dobre aqui

Carta-
-resposta

9912200760/DR/SPM
Summus Editorial Ltda.

CORREIOS

CARTA-RESPOSTA

NÃO É NECESSÁRIO SELAR

O SELO SERÁ PAGO POR

AC AVENIDA DUQUE DE CAXIAS
01214-999 São Paulo/SP

dobre aqui

recorte aqui

CADASTRO PARA MALA DIRETA

Recorte ou reproduza esta ficha de cadastro, envie completamente preenchida por correio ou fax, e receba informações atualizadas sobre nossos livros.

Nome:______________________ Empresa:______________

Endereço: ☐ Res. ☐ Com. ______________________ Bairro:______________

CEP: ________-______ Cidade: ______________ Estado: ______ Tel.: ( ) __________

Fax: ( ) ____________ E-mail: ______________ Data de nascimento:__________

Profissão:______________ Professor? ☐ Sim ☐ Não Disciplina: ______________

Grupo étnico principal: ______________________

1. Onde você compra livros?

☐ Livrarias ☐ Feiras
☐ Telefone ☐ Correios
☐ Internet ☐ Outros. Especificar:____________

2. Onde você comprou este livro?

____

3. Você busca informações para adquirir livros por meio de:

☐ Jornais ☐ Amigos
☐ Revistas ☐ Internet
☐ Professores ☐ Outros. Especificar:____________

4. Áreas de interesse:

☐ Autoajuda ☐ Espiritualidade
☐ Ciências Sociais ☐ Literatura
☐ Comportamento ☐ Obras de referência
☐ Educação ☐ Temas africanos

5. Nestas áreas, alguma sugestão para novos títulos?

____
____
____

6. Gostaria de receber o catálogo da editora? ☐ Sim ☐ Não

cole aqui

Indique um amigo que gostaria de receber a nossa mala direta

Nome:______________________ Empresa:______________

Endereço: ☐ Res. ☐ Com. ______________________ Bairro:______________

CEP: ________-______ Cidade: ______________ Estado: ______ Tel.: ( ) __________

Fax: ( ) ____________ E-mail: ______________ Data de nascimento: __________

Profissão:______________ Professor? ☐ Sim ☐ Não Disciplina: ______________

Selo Negro Edições

Rua Itapicuru, 613 7º andar 05006-000 São Paulo - SP Brasil Tel. (11) 3872-3322 Fax (11) 3872-7476

Internet: http://www.selonegro.com.br e-mail: selonegro@selonegro.com.br